Ramiro A. Calle

# Guía práctica de relajación física y mental

HOJAS DE LUZ
EDITORIAL

Si este libro le ha interesado y desea que lo mantengamos informado de nuestras publicaciones, escríbanos indicándonos qué temas son de su interés (Astrología, Autoayuda, Naturismo, Nuevas terapias, Espiritualidad, Tradición, Qigong, PNL, Psicología práctica, Tarot...) y gustosamente lo complaceremos.

Puede contactar con nosotros en
comunicacion@editorialsirio.com

Diseño de portada: Editorial Sirio, S.A.



EDITORIAL SIRIO, S.A.
C/ Panaderos, 14
29005-Málaga
España

EDITORIAL SIRIO
Nirvana Libros S.A. de C.V.
Camino a Minas, 501
Bodega nº 8 , Col. Arvide
Del.: Alvaro Obregón
México D.F., 01280

ED. SIRIO ARGENTINA
C/ Paracas 59
1275- Capital Federal
Buenos Aires
(Argentina)

www.editorialsirio.com
E-Mail: sirio@editorialsirio.com

I.S.B.N.: 978-84-96595-27-9
Depósito Legal: B-6.948-2010

Impreso en los talleres gráficos de Romanya/Valls
Verdaguer 1, 08786-Capellades (Barcelona)

*Printed in Spain*

# Agradecimientos

Estoy especialmente agradecido a Miguel Hernán, magnífico amigo y profesional, director del programa de radio «Voces que dejan huella». También quisiera expresar mi eterna gratitud a mis alumnos del Centro de Yoga Shadak.

# Introducción

La ciencia de la relajación es tan antigua como el yoga, pues fueron los yoguis los primeros en concebir y ensayar métodos de relajación consciente hace miles de años. Decimos relajación consciente porque toda ella se celebra a la luz de la conciencia o atención vigilante, ya que el practicante se va sirviendo de su mente despierta para ir revisando todo su cuerpo.

Desde hace ya décadas, la relajación tiene carta de ciudadanía en Occidente y son innumerables las personas que se interesan en ella y muchas las que la necesitan. La mayoría de los métodos occidentales de relajación están inspirados en el yoga, siendo el más notable de todos ellos el del doctor Schultz, el cual detallaremos en esta obra (tanto su técnica de grado inferior —la más sencilla— como la de grado superior —la más transformativa—). Incluimos asimismo el método de relajación yoga, el método de relajación progresiva del Dr. Jacobson y otros más. Este libro es una obra eminentemente práctica en la que se han vertido todas las enseñanzas e instrucciones necesarias para que cualquier persona pueda aprender a relajarse, tanto física como mental y emocionalmente, porque, a diferencia de la mayoría de obras sobre la ciencia de la relajación, incorporamos numerosas técnicas no sólo para relajar y sosegar el cuerpo, sino también la mente y el sistema psíquico. Se ha tratado en todo momento de dar indicaciones muy precisas para que el lector pueda practicar con todo provecho este sencillo y beneficioso método de mejora, tranquilización, encuentro con uno mismo y prevención de desórdenes psíquicos y psicosomáticos. La relajación es fuente de salud, bienestar, equilibrio y sosiego. Cualquier persona que se lo proponga puede aprenderla y ganar con ello paz interior, autodominio, equilibrio y armonía. Es una técnica agradecida, porque resulta relativamente fácil si se practica con asiduidad y, además, es muy agradable y reconfortante.

Como en toda disciplina, la clave del éxito es la constancia en la práctica. En el Centro de Yoga que dirijo, insisto y garantizo a mis alumnos que si una persona realiza diariamente una sesión de relajación de veinte minutos durante seis semanas, conseguirá un nivel muy profundo y benéfico de relajación y controlará la denominada "respuesta de relajación", que consiste en poder relajarse instantáneamente en cualquier momento y ante cualquier circunstancia.

A medida que se practica la relajación, ésta resulta más sencilla y se vuelve mucho más profunda. Uno aprende a relajarse, relajándose. No hay otro secreto. Paulatinamente, uno aprende a sentir todos sus músculos y a aflojarlos. Pero, además, con la práctica asidua se consiguen estados de relajación muy profundos y, entonces, ya no sólo se beneficia el cuerpo o se produce una simple relajación superficial o periférica, sino que se beneficia todo el sistema psicomental, que se estabiliza y armoniza, reportando a quien la practica equilibrio psicosomático y salud emocional, además de una notable mejora en el autocontrol, la voluntad y el sentido de la disciplina y el carácter. Cuando avanzamos en la práctica de la relajación, ésta alcanza y beneficia incluso a los órganos internos, vísceras y glándulas, equilibrando todas las funciones corporales, fortaleciendo el sistema inmunitario y favoreciendo el metabolismo. Al ralentizar el cuerpo, la mente también se ralentiza, y el practicante aprende a suspender sus fastidiosos y descontrolados automatismos mentales, con lo que cesa el ruido de la mente y se produce una relajación psicosomática de gran alcance, sumamente lenitiva y transformadora.

La relajación ayuda a reunificar las energías diseminadas, a prevenir y a combatir el estrés, a resolver conflictos internos, tics, fobias e insomnio; contribuye a que nos sintamos mejor y a aumentar la resistencia psicomental. Es una excelente medicina natural y una herramienta inestimable para prevenir la ansiedad, generada por el ritmo de vida de nuestra era, y superar el cansancio, la psicastenia, la angustia y la apatía. Durante casi cuarenta años, he impartido clases de relajación a cientos de miles de personas, y puedo asegurar que es una técnica muy natural y reconfortante que no defrauda a nadie y que beneficia a todos. Por ello, recomiendo encarecidamente su práctica a fin de poder experimentar sus extraordinarios beneficios.

Ramiro Calle

Nota: Para contactar con el autor, dirigirse a su centro de yoga en la calle Ayala 10 de Madrid o a su página web: www.ramirocalle.com

# 1

# La relajación de yoga

Como el yoga es el precursor de la ciencia psicosomática y la primera disciplina de la salud integral del mundo, fueron los yoguis los primeros en concebir, ensayar y experimentar la relajación, no sólo como fuente de energía y vitalidad, sino también como procedimiento útil para desarrollar el control psicosomático y favorecer la reintegración emocional. Asimismo, los yoguis descubrieron que su práctica es muy beneficiosa para el cuerpo y la mente, por lo que la contemplaron como un procedimiento fiable para acumular fuerza vital y la utilizaron para complementar otras técnicas de yoga. Pronto se constató que los estiramientos y los masajes facilitaban la relajación profunda, lo que llevó al doctor Behanam a declarar: «Como sistema para inducir a un alto nivel de relajación, el yoga es insuperable». Las posturas, al trabajar con estiramientos mantenidos y masajes, van, por un lado, tensando para relajar y, por otro, presionando puntos vitales y desbloqueándolos. Los antiguos yoguis denominaron a la postura de relajación *savasana*, es decir, postura de cadáver, para indicar así que el cuerpo, durante la práctica, tiene que estar tan inmóvil como el de un muerto. La relajación de yoga se puede practicar por sí sola o después de haber efectuado las posturas de estiramiento y masaje, las *asanas*. En este segundo caso, podemos decir que se trata de una relajación activa-pasiva, pues primero se acude a las posiciones de yoga para eliminar crispaciones, tensiones y contracturas, y después se realizan los estiramientos con el propósito de relajarnos. Cuando la práctica no va acompañada de posturas corporales la podríamos calificar de relajación pasiva y consciente, porque exige:

Máxima inmovilidad.
Máxima atención vigilante.

A través de la atención vigilante y consciente, vamos sintiendo las diferentes partes del cuerpo para, después, aflojar la musculatura. Sentir y soltar, sentir y soltar: ése es el secreto. Mediante este fácil procedimiento se obtiene una relajación profunda y saludable, además de un importante beneficio físico, energético y psicomental.

SENTIR Y SOLTAR. Es necesario mantener la mente atenta, el cuerpo pasivo y la concentración activa durante toda la práctica.

## El método

—Escoge una habitación tranquila, en semipenumbra, y una superficie que no sea ni muy blanda ni excesivamente dura: puede ser una manta doblada sobre el suelo, una alfombra, etc.

—Tiéndete de espaldas colocando la cabeza en el punto de mayor comodidad. Separa ligeramente las piernas y deja los brazos sobre el suelo a ambos lados del cuerpo, con las palmas de las manos ladeadas o hacia arriba, como mejor te encuentres.

—Cierra los ojos, pero evita cualquier tensión en los párpados.

—Regula la respiración, preferiblemente por la nariz, de manera que sea lenta y pausada. Si ésta, espontáneamente, se torna abdominal o diafragmática, mejor.

—Comienza a recorrer mentalmente tu cuerpo, sin prisa, desde los pies hasta la cabeza, para sentir sus diferentes partes y aflojarlas. Se trata de sentir y aflojar.

—Dirige tu atención a los pies y a las piernas. Nótalos. Concéntrate bien en esa zona del cuerpo, que debe ir relajándose cada vez más.

—Lleva ahora tu atención al estómago y al pecho. Concéntrate en todos los músculos de esta zona; aflójalos y relájalos. Siéntelos cada vez más sueltos.

Mantén la mente siempre atenta. Centrándote en el estómago y el pecho, suelta cada vez más esos músculos.

— Desplaza tu atención a la espalda, los brazos y los hombros, que deben aflojarse tanto como sea posible. Suelta los músculos más y más. Siéntelos flojos y relajados, cada vez más relajados.
— Céntrate en el cuello, en todos sus músculos. Siéntelos cada vez más relajados.
— Ahora, centra tu atención en las diferentes partes de la cara. Suelta la mandíbula y relájala. Afloja, tanto como puedas, los labios, las mejillas y los párpados. Siente el entrecejo y la frente. La musculatura de la cara se relaja y se afloja.
— Siente todo tu cuerpo flojo y relajado. Si sientes tensión en alguna zona, dirige hacia ella tu atención y aflójala.
— Conéctate mentalmente con la respiración. Siéntela como una apacible ola que viene y va de una manera lenta, pausada y reparadora. Con cada espiración, te relajas más y más. Tu cuerpo se relaja profundamente. Cada vez más profundamente. La respiración es una ola de sosiego y paz.
— Siente cómo una placentera sensación de relajación, bienestar y descanso invade todo tu cuerpo.
— Mantente así de diez a quince minutos. Disfruta de la relajación del cuerpo y del sosiego de la mente.

***Antes de salir del estado de relajación***

— Respira profundamente una decena de veces. Toma y suelta tanto aire como puedas.
— Mueve lentamente los pies y las manos. Después, haz lo mismo con las piernas, los brazos, la cabeza y el resto del cuerpo.
— Incorpórate suavemente.

## Advertencias

· Es preferible practicar la relajación en una habitación silenciosa y en semipenumbra.
· Arrópate lo suficiente para no enfriarte.
· Si padeces de la espalda o de las vértebras cervicales, puedes colocar un cojín debajo de la cabeza y, si es necesario, también debajo de la cintura, los codos y los pies.
· Si tienes sueño, puedes realizar la sesión con los ojos abiertos para evitar quedarte dormido.
· Evita que te molesten o te interrumpan durante la relajación.
· Si lo deseas, puedes prolongar las sesiones de relajación hasta treinta minutos.
· La constancia es importante. Con seis semanas de práctica periódica, podrás conseguir un magnífico estado de profunda relajación.

- Durante el ejercicio, evita las distracciones.
- Es mejor practicar con el estómago vacío.

No te asustes si alguna vez notas algunos de los siguientes síntomas:

- Sensación de peso, de calor o de frío.
- Pérdida de la noción del tiempo o del espacio.
- Falta de sensibilidad en todo el cuerpo o en alguna extremidad.
- Sensación de caída o de liviandad.
- Hormigueo en manos, pies u otras partes del cuerpo.

Cuando hayas aprendido a relajarte, podrás hacerlo fácilmente en las más variadas circunstancias: viajando, en la sala de espera de un médico, en el campo, en la playa... Cuando domines la llamada «respuesta de relajación», podrás relajarte en cuestión de segundos. La clave del éxito reside únicamente en la práctica constante. Conseguirás que tus músculos te obedezcan, y esto será una grata y sorprendente experiencia.

## Profundizando en la relajación

Si se desea alcanzar un estado más profundo de relajación, se puede proceder de la siguiente manera:

Después de haber recorrido con la mente el cuerpo, sintiendo y aflojando, lenta y atentamente, los diferentes grupos de músculos, deberás realizar el recorrido a la inversa, es decir, de la cabeza a los dedos de los pies. Empieza aflojando la frente y el entrecejo, y, después, sin urgencia y con mucha concentración, continúa con párpados, mejillas, labios, mandíbula, cuello, hombros, brazos, espalda, estómago y abdomen, piernas y pies.

Si lo que buscas es una máxima profundización, puedes recorrer con mayor detenimiento las distintas partes del cuerpo: cada uno de los dedos de uno y otro pie, una y otra pierna, uno y otro muslo, el vientre, una y otra nalga, el estómago, el pecho, la espalda, cada uno de los dedos de una y otra mano, una y otra mano, uno y otro antebrazo, uno y otro brazo, uno y otro hombro, el cuello y las distintas partes de la cara.

Si dispones de poco tiempo para las sesiones y te cuesta trabajo relajarte, puedes distender una zona diferente cada día. Un programa clásico es:

— 1.ª sesión: pies.
— 2.ª sesión: pies y piernas.
— 3.ª sesión: vientre y estómago.

— 4.ª sesión: pies, piernas, vientre y estómago.
— 5.ª sesión: pecho y espalda.
— 6.ª sesión: manos y brazos.
— 7.ª sesión: pecho y espalda, manos y brazos.
— 8.ª sesión: pies, piernas, vientre, estómago, pecho, espalda, manos y brazos.
— 9.ª sesión: cuello.
— 10.ª sesión: pecho, espalda, manos, brazos y cuello.
— 11.ª sesión: las distintas partes de la cara.
— 12.ª sesión: todo el cuerpo desde los pies hasta la cabeza.

## Método de relajación global

Cuando hayas practicado lo suficiente y obtengas rápidamente una buena respuesta, ya no necesitarás relajar una a una las distintas partes del cuerpo, sino que podrás hacerlo en conjunto, sintiendo todo tu organismo flojo, completamente relajado y abandonado. Alcanzarás un estado de relajación en pocos segundos, y podrás emplear los minutos siguientes para profundizar más y más en tu cuerpo.

## Texto para relajar a un adulto

Es posible practicar la relajación por uno mismo con total garantía de éxito, pero al principio resulta de considerable ayuda que otra persona (un amigo, un familiar o un instructor) vaya dirigiéndonos con su voz, que debe ser suave y relajante. Existen diferentes textos, pero propongo el que he utilizado habitualmente con mis alumnos a lo largo de tres décadas:

— Vamos a proceder a la relajación. Tiéndete cómodamente sobre la espalda, tan immóvil como puedas. Permanece muy atento. Apoya la cabeza cómodamente y respira de forma pausada, a ser posible con el abdomen. Sigue mi voz y concéntrate en las zonas del cuerpo que enumeraré para tratar de aflojarlas tanto como te sea posible. Siente y afloja. Adopta una actitud de abandono. Mantén los párpados suavemente cerrados. No te distraigas. Siente y afloja.

— En primer lugar, concéntrate en los pies y en las piernas. Siéntelos. Ve relajando todos los músculos de los pies y de las piernas. Siente cómo se aflojan. Siente que están muy flojos y relajados; muy sueltos; cada vez más relajados. Más y más relajados.

— Ahora dirije tu atención al estómago y al pecho. Concéntrate en ellos. Todos los músculos del estómago y del pecho se sumergen en un estado de laxitud y abandono. Siéntelos cada vez más flojos, más y más flojos, profundamente relajados.

— A medida que los músculos del estómago y del pecho se aflojan, también lo hacen los de la espalda, los brazos y los hombros. Todos los músculos de la espalda, de los brazos y de los hombros se aflojan más y más. Están profundamente flojos, completamente flojos, relajados y sueltos. Completamente sueltos.

— Concéntrate en el cuello. Los músculos del cuello están blandos y suaves; sin tensión, sin rigidez. Blandos y suaves, sin tensión, sin rigidez.

— La mandíbula está ligeramente caída, floja y suelta. Floja y suelta. Los labios, flácidos. Las mejillas, blandas. Los párpados, profundamente relajados, al igual que la frente y el entrecejo.

— Todos los músculos del cuerpo se aflojan cada vez más. Más y más profundamente. Tu respiración es lenta, pausada, uniforme y reparadora. Lenta, pausada, uniforme y reparadora. Todos los músculos del cuerpo se van sumiendo en un estado de profunda relajación. Todos los músculos están flojos, muy flojos, relajados; sueltos, muy sueltos. Y cada día, la relajación será más y más profunda, más y más reparadora. Profunda relajación, bienestar, tranquilidad y descanso.

Todos los músculos de tu cuerpo son invadidos por un estado de profunda relajación.

Tras guardar dos o tres minutos de silencio, se continúa con:

—Ahora vas a salir de la relajación. Para ello, respira varias veces a pleno pulmón y mueve lentamente las distintas partes del cuerpo: pies y manos, piernas y brazos, cabeza, etc.

## Texto para relajarse uno mismo

Aunque lo ideal es concentrarse en una zona del cuerpo para sentirla y aflojarla, hay personas que, por tener una mente muy dispersa o porque les cuesta mucho relajarse, prefieren, durante las primeras sesiones, seguir mentalmente un guión para la relajación. A modo orientativo, ofrezco el siguiente texto. Cuando la persona haya logrado que su mente divague menos y la relajación le resulte más fácil, deberá prescindir de él.

—Voy a relajarme serenamente. Estoy tumbado, muy a gusto. Cierro suavemente los párpados, reposo la cabeza cómodamente y ralentizo la respiración por la nariz. Me dedico estos minutos a mí mismo para relajar el cuerpo y tranquilizar la mente. En primer lugar, me concentro en los pies y las piernas. Siento que todos los músculos de los pies y de las piernas están flojos y sueltos, cada vez más relajados y más flojos. Ahora, relajo la musculatura del estómago y del pecho. Me concentro en el estómago y en el pecho y aflojo todos sus músculos. Siento que están en un estado de profunda relajación. De profunda relajación. Dirijo la atención a la espalda, los brazos y los hombros. Voy aflojando todos los músculos de la espalda, los brazos y los hombros. Están muy flojos, completamente flojos y relajados; sueltos, muy sueltos, cada vez más sueltos. Relajo los músculos del cuello. Éstos se van poniendo blandos y suaves, sin tensión y sin rigidez; están blandos y suaves, sin tensión, sin rigidez. Ahora, me centro en las distintas partes de la cara: la mandíbula está ligeramente caída, floja y suelta; los labios, fláccidos; las mejillas, blandas; los párpados, relajados, profundamente relajados; la frente y el entrecejo, sin tensión, sin rigidez.

— Siento todos los músculos del cuerpo cada vez más y más flojos, completamente relajados; están muy flojos y relajados. Mi respiración es tranquila, apacible y reparadora, y cada vez que espiro me relajo más y más profundamente. Todo mi cuerpo es invadido por una sensación de profunda relajación, de honda relajación. Y cada día obtendré una relajación más profunda y reparadora.

## Texto para relajar a un niño

Si el niño es muy pequeño, habrá que enseñarle a relajarse como si fuera un juego y será necesario adaptar el lenguaje a su edad. Los padres, o cualquier otra persona adulta, pueden ayudarle palpando las diferentes partes del cuerpo que van enumerando. Ofrezco un texto orientativo para niños de alrededor de siete años:

—Ahora vamos a llevar a cabo un experimento que te va a resultar muy agradable. Tienes que ayudarme para que nos salga muy bien. Tiéndete sobre la espalda y cierra los ojos. Estate muy tranquilo, a ver si eres capaz de no moverte en todo el rato. Escucha mi voz y concéntrate en las diferentes partes del cuerpo que te voy a ir señalando. Verás qué agradable va a ser esta experiencia. Respira por la nariz. Muy bien, sigue respirando así, tranquilamente, por la nariz. Lo estás haciendo muy bien. Ahora piensa en los pies y las piernas. Siente que los pies y las piernas se aflojan y se relajan; siéntelos flojos. Están muy flojos y muy relajados, cada vez más y más relajados. Los músculos de los pies y de las piernas se sueltan y se aflojan, como los de un muñeco de trapo. Se sueltan y te pesan. Están muy sueltos y pesan. Muy bien, lo estás haciendo muy bien. Sigue así, tranquilo y relajado. Ahora siente el estómago y el pecho. Siente que el pecho y el estómago también se aflojan, que están cada vez más sueltos y relajados. Cada vez más relajados. Cada vez te sientes más relajado y agradablemente pesado. Te sientes muy a gusto. Ahora, concéntrate en la espalda, los brazos y los hombros. ¿Verdad que puedes hacerlo? ¡Claro que sí!

Siente cómo se aflojan también todos los músculos de la espalda, de los brazos y de los hombros; están cada vez más y más relajados. Todo va muy bien. Te sientes muy a gusto y tranquilo. Ahora, también se relajan los músculos del cuello. Siente cómo se ablandan; están flojos, blandos y suaves. Muy bien. Ahora llegamos a la cara. La mandíbula está relajada; los labios, sueltos y blandos; las mejillas, flojas y sueltas; los párpados y el entrecejo, muy relajados. Todo tu cuerpo se encuentra tranquilo, relajado, muy a gusto. Tranquilo, relajado, muy a gusto. Cada día que realicemos esta experiencia te vas a sentir mejor, más tranquilo y contento. Más tranquilo y contento. Lo has hecho muy bien. Ahora, respira profundamente varias veces. Mueve lentamente las manos, los pies, las piernas, los brazos y la cabeza. Muy bien.

## Método para una relajación muy breve

A veces, puede suceder que queramos aprovechar unos breves instantes para poder relajarnos en el trabajo, viajando, o en una situación de tensión, preocupación o estrés. Si la persona ya ha practicado la relajación lo suficiente, podrá conseguir unos buenos resultados aunque aplique la técnica durante sólo dos o tres minutos. Para ello, uno debe concentrarse en el propio cuerpo, apartar de la mente cualquier distracción durante unos segundos y relajar el organismo, aliviando las tensiones neuromusculares. Podremos ayudarnos con la respiración si cada vez que espiramos, lenta y profundamente, decimos «soltar, soltar, soltar» y tratamos conscientemente de aflojar el cuerpo tanto como sea posible. Cuando se ha ejercitado lo suficiente, se puede lograr la respuesta de relajación en tan sólo un par de minutos.

## Procedimientos de fijación de la mente y tranquilización mental

El estado de relajación admite varios niveles de intensidad, dependiendo del grado de preparación del practicante. Si se insiste en la práctica, se pasará de una simple relajación física a una relajación física, mental y emocional. Cuando la persona ha relajado completamente su cuerpo, eliminando todas las tensiones neuromusculares, esa misma laxitud somática ya sosiega en grado sumo. Sin embargo, se pueden aplicar distintas técnicas complementarias que harán que este beneficio se produzca también a nivel psíquico. Muchas personas, tras practicar la relajación física, necesitan un soporte para evitar que la mente comience a divagar en los últimos minutos. En cuanto reaparecen las tensiones en la mente, éstas pueden reflejarse en la musculatura y crear de nuevo crispaciones físicas. Expondré a continuación algunos procedimientos, tan antiguos como eficaces, para evitar la dispersión mental. No se trata de practicar asiduamente todos estos métodos, sino de probarlos. Entonces, podremos adoptar, como complemento, aquél que nos resulte más eficaz y provechoso.

### *Fijar la atención en el movimiento abdominal*

Si la persona está efectuando respiraciones abdominales (las cuales son muy sedantes y aconsejables), deberá centrarse en el movimiento de subida y bajada del vientre. Se trata de sentir la dilatación y la vuelta a la posición inicial del abdómen, pero sin pensar en ello. Es importante aprovechar este movimiento para relajarse con él cada vez más.

### *Estar atento a la sensación de relajación*

Cuando nos relajamos lo suficiente, sentimos una agradable sensación de sosiego. En ese punto, es posible detener la mente y continuar en ese estado de profunda relajación.

*La noche mental*

Se trata de una práctica excelente para liberar la mente de tensiones y dispersiones. Consiste en oscurecer el campo visual interno, de ahí el nombre del ejercicio. Para ello, el practicante puede servirse de alguna imagen o idea (un fondo negro, un velo tupido que cae sobre los ojos, una pizarra, una pantalla opaca...) para lograr, paulatinamente, una oscuridad tranquilizante que absorba los pensamientos.

*Instrumentalizar la exhalación*

Esta técnica consiste en apartar de la mente toda distracción y centrarla en la respiración. Al soltar el aire, debemos sentir que nos liberamos cada vez más, nos dejamos ir, nos desbloqueamos y experimentamos un estado de fluidez. Hay que aprovechar la exhalación para soltar cada vez más. Es un procedimiento muy sencillo y de enorme eficacia.

*Experimentar la sensación táctil del aire*

Cuando respiramos por la nariz, el paso del aire por las fosas nasales genera una sensación táctil que, con un poco de práctica, puede percibirse claramente. Este ejercicio consiste en centrarse mentalmente en la entrada de las fosas nasales, es decir, en las aletas de la nariz. Sin pensar, ni analizar ni divagar, uno debe concentrarse cada vez más en la sensación que produce el aire al entrar en la nariz.

***Afirmaciones***

Después de haber recorrido mentalmente el cuerpo y de haberlo relajado, se pueden hacer afirmaciones saludables, que resultan de gran ayuda. A continuación, veremos algunas:

*Relajarse con la respiración*

El practicante ralentiza y alarga cada respiración, mientras se dice mentalmente: «Al inhalar, me relajo; al exhalar, me relajo». Al recitar esta fórmula, debe tratar de relajarse cada vez más, calmando así todos los procesos físicos y mentales y recobrando el estado de serenidad.

*Apoyarse en una palabra para desplegar un sentimiento de quietud*

El practicante selecciona una palabra y la repite primero con la inhalación y luego con la exhalación, tratando de apoyarse en el significado de la palabra para lograr una calma cada vez mayor. Si, por ejemplo, selecciona el vocablo «paz», deberá repetirlo mentalmente tratando de alargar la vocal un poco. No se trata de repetir mecánicamente, sino de emplear la palabra para suscitar y desarrollar ese sentimiento de calma profunda.

*Afirmaciones constructivas*

Consiste en repetir unas cuantas veces ciertas afirmaciones constructivas, sintiendo su significado, como: «Soy serenidad», «Estoy sumamente tranquilo» o «Me siento sereno y seguro».

*Utilización de la vibración* Om

Es una técnica muy efectiva, que ayuda a lograr un estado excepcional de quietud mental. Pensemos en una casa vacía, o en un campo, cuando reina un silencio perfecto, tan intenso que tenemos la impresión de oírlo. Esa vibración, que verbalizaremos como *Om*, es la que utilizaremos después de la relajación del cuerpo. Debe ir asociada a la respiración y se ha de practicar de la siguiente manera. Al inhalar, recitamos la sílaba mentalmente, alargando la consonante, dejando que el sonido impregne toda la mente. Al exhalar, procedemos del mismo modo.

## Visualización de quietud

Todos sabemos hasta qué punto una imagen mental puede despertar sentimientos definidos. No experimentamos lo mismo cuando imaginamos algo repulsivo o desagradable que cuando se trata de algo hermoso y placentero. La visualización consiste en crear una imagen mental para que ésta nos inspire un sentimiento positivo. Aunque existen innumerables ejercicios de visualización, indicaré algunos que son complementarios de la relajación física y adecuados para calmar las emociones.

***Seleccionar una imagen que nos inspire quietud***

Un lago, una pradera, la cima de una montaña... Se trata de imaginar con la mayor fidelidad posible para que nos produzca un sentimiento de calma profunda.

***Visualización de la bóveda celeste***

Se trata de representar mentalmente el firmamento en toda su inmensidad, claro y despejado, para fundirse con la bóveda celeste. Se deberá promover un sentimiento de totalidad e infinitud y expulsar de la mente preocupaciones, tensiones y afanes. Después, durante unos minutos, sentiremos la unión con el firmamento, cultivando un estado de plenitud.

***Visualización de vitalidad***

En este ejercicio debemos visualizarnos inmersos en un océano de luz radiante y pura, de forma que los rayos de luz y vitalidad entren y salgan por todos los poros del cuerpo. Después, nos uniremos a la masa de luz pura, radiante y revitalizante para recrear un sentimiento de «cosmicidad». Este ejercicio admite otra modalidad que consiste en visualizar que el aire que inhalamos y exhalamos es luz. Al tomar aire, nos llenamos de vitalidad o fuerza vital. Al exhalarlo, propagamos esa fuerza por todo el organismo.

***Instalar la paz en el corazón***

Se trata de un ejercicio muy antiguo. Al tomar aire, visualizamos que recibimos paz, y, al exhalarlo, conectamos mentalmente con la zona del corazón y visualizamos que el aire lleva paz y armonía al corazón.

### Beneficios

Aunque todos los métodos de relajación producen beneficios similares, cada sistema cuenta con unos beneficios característicos.

Los yoguis, médicos e investigadores de la India que he tenido ocasión de entrevistar, aseguran que la relajación de yoga procura los siguientes beneficios:

· Reduce la tensión física, mental y emocional.

· Ayuda a prevenir la irritabilidad, la neurosis funcional, la neurastenia, las úlceras, el insomnio, la fatiga, la depresión, el agotamiento, las fobias, las anomalías emocionales, los tics, el asma, el estreñimiento, la aerofagia, la dispepsia, las cefaleas, etcétera.

- Combate la hipertensión: al desencadenar una vasodilatación general en todo el cuerpo, regula la tensión arterial y la mantiene a unos niveles excelentes.
- Previene el infarto de miocardio, puesto que el corazón opera a un ritmo más lento y mejora su función de bombeo.
- Neutraliza la tensión, generada por nuestra sociedad competitiva, y estabiliza emocionalmente.
- Mejora y armoniza la coordinación del cuerpo y la mente, equilibrando sus conexiones.
- Regula el sistema parasimpático y disminuye la cantidad de adrenalina que circula por el torrente sanguíneo.
- Ayuda a filtrar las influencias indeseables del entorno.
- Promueve un mayor aprovechamiento de la energía, evitando su disipación innecesaria.
- Facilita la resolución de los conflictos internos y el acercamiento eficaz a uno mismo.
- Estabiliza la función respiratoria.
- Aumenta la capacidad de resistencia del organismo.
- Intensifica la relajación de todos los procesos mentales.
- Desarrolla la atención mental.
- Favorece el autocontrol saludable.

- Resulta de gran utilidad en las situaciones difíciles: convalecencia, momentos de máxima tensión, disgustos profundos...
- Ayuda a combatir eficazmente el estrés y la ansiedad.
- Reduce la fatiga crónica y el abatimiento.

Si no se dispone de demasiado tiempo, cuatro o cinco minutos de estos ejercicios complementarios son suficientes.

Las personas propensas a estar en tensión tendrán que insistir en la práctica. De cualquier modo, obtendrán mejores resultados si hacen algún ejercicio preliminar de estiramiento o masaje de yoga. Más adelante, proporcionaré dos tablas muy sencillas, que son de gran utilidad para inducir a una relajación profunda, ya que desbloquean y ayudan a eliminar crispaciones y contracturas.

# 2

# El entrenamiento autógeno
## (autorrelajación concentrativa)

Sin duda, el método de relajación de mayor alcance, además de la relajación de yoga, es el del neurólogo berlinés J. H. Schultz. Se trata de un método concebido hace más de seis décadas, que, en muchos sentidos, está inspirado en las técnicas de relajación diseñadas por los yoguis hace milenios. Es un método de psicorrelajación, puesto que sus pretensiones son mucho más ambiciosas que las de aliviar simplemente la tensión psicosomática. Consta de dos grados: el inferior y el superior. Muchos especialistas sólo trabajan con el inferior, tal vez porque ellos mismos no hayan experimentado el superior o porque este último tiene un trasfondo infinitamente más psicológico y de autorrealización. Schultz se inspiró en el yoga para elaborar su método y, por ello, no es casualidad que en su obra dedicase un capítulo a esta disciplina. Desde luego, lo más adecuado es practicar el grado superior con la ayuda de un especialista, porque puede resultar algo complicado en un principio y exige que uno previamente se haya ejercitado en el grado inferior. Es de justicia decir que, aunque Schultz se inspiró en las técnicas de psicorrelajación del yoga más antiguo y clásico, su método es de considerable valor, tiene notables aplicaciones psicoterapéuticas y es utilizado por un buen número de psicoterapeutas y psiquiatras no organicistas. En este sentido, ha conseguido suficiente prestigio para garantizar la enseñanza de la relajación en Occidente.

## La posición del cuerpo

Schultz señala tres posiciones posibles para practicar su método: decúbito supino (es decir, tendido sobre la espalda), postura sentada pasiva y postura de cochero. Al igual que sucede en el yoga, Schultz considera que, para facilitar el proceso de aprendizaje, la más adecuada de las posturas es la primera. Pero, cuando la persona no pueda servirse de ésta, por la circunstancia que fuere, podrá recurrir a cualquiera de las otras dos.

### *1. La postura de decúbito supino*

Es, insisto, la más eficaz, ya que proporciona mayor comodidad y ayuda a evitar los estímulos corporales. Comienza por tumbarte sobre la espalda, con la cabeza encima de una almohada poco gruesa, para que el cuello permanezca recto. Los brazos, a ambos lados del tronco, ligeramente doblados, con las palmas de las manos hacia abajo, o sobre los muslos. Las piernas han de estar ligeramente separadas, y los talones no deben tocarse. Los pies, sueltos, caen hacia fuera respectivamente, y la columna vertebral ha de quedar lo más recta posible, sin que se hundan los hombros ni el pecho, por lo que la superficie no debe ser excesivamente blanda. La cabeza no debe inclinarse hacia los lados.

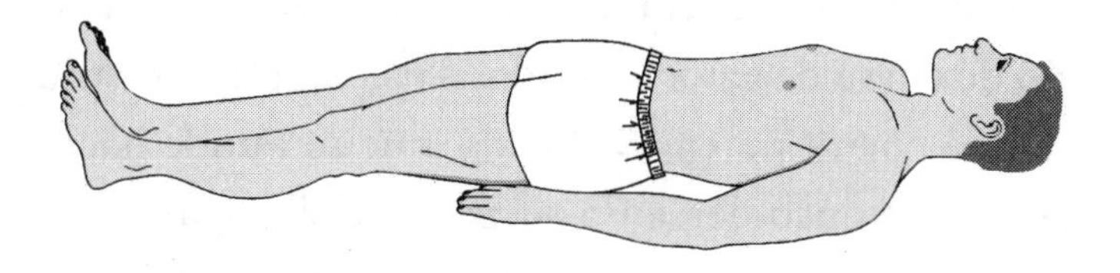

Figura 1

*2. La postura sentada pasiva*

Se elige un sillón cómodo con respaldo alto y recto. El practicante debe sentarse, apoyando firmemente la espalda y la cabeza contra el respaldo. Las piernas han de estar dobladas y las plantas de los pies bien apoyadas en el suelo, formando un ángulo recto con los muslos. Los brazos se apoyan sobre los del sillón, formando con los antebrazos un ángulo obtuso de unos 120 grados, y permitiendo que las manos, flojas y sueltas, caigan hacia dentro. Las piernas, al igual que los talones, deben permanecer separadas.

### *3. La postura del cochero*

A pesar de no ser una postura demasiado confortable, con la práctica suficiente, puede resultar igualmente eficaz. Si no se puede practicar en las dos posiciones anteriores, se podrá adoptar esta postura, denominada así porque recuerda a la de los antiguos cocheros. Nadie mejor que el propio doctor Schultz para describírnosla: «Se caracteriza porque la persona, sentada, descansa el peso de la mitad superior de su cuerpo sobre la región dorsolumbar, con la columna vertebral relajada, en posición de curva de gato. La lordosis fisiológica se sustituye por una curvatura en la espalda, que se hunde hacia la pelvis. El tronco descansa suspendido del aparato ligamentoso de la columna vertebral encorvada y no precisa de ninguna tensión muscular para mantener la posición vertical. La postura del cochero sólo precisa de un asiento y, por ello, puede ejercitarse en cualquier lugar. Al encoger el tronco, no se debe inclinar éste hacia delante, porque, en ese caso, el abdomen quedaría comprimido por los brazos. Los muslos deben permanecer abiertos en un ángulo de 75 a 80 grados, y los antebrazos se apoyan sobre éstos en un punto situado en la unión del primer tercio con el tercio medio de la distancia que va desde el codo hasta la punta de los dedos. Así, el antebrazo descansa pasivamente sobre el muslo. La posición de la cabeza puede variar, dependiendo del hábito postural y la complexión del cuerpo. La postura del cochero sólo proporciona a los antebrazos un apoyo limitado en su primer tercio. Las manos deben pender para garantizar la libertad de movimientos articulares, formando un ángulo de 60 grados con el eje del antebrazo».

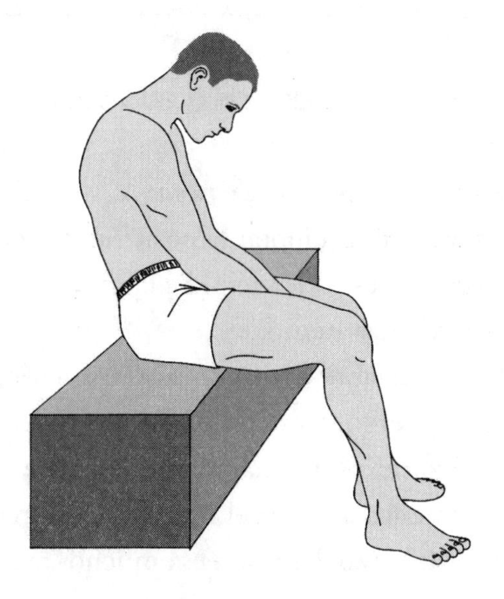

Figura 2

### Requisitos para la práctica

- Los ojos, preferiblemente, deben permanecer cerrados.
- Los globos oculares han de estar relajados y en la posición que queden al cerrar los párpados.
- Es importante utilizar prendas cómodas y holgadas.
- Si hace frío, es necesario cubrirse con una manta.
- La estancia debe estar en una reconfortante semipenumbra y aislada de ruidos.

· Debe evitarse ser molestado durante los ejercicios.
· Debe mantenerse un alto grado de atención.
· La práctica ha de ser asidua.

## Ejercicios de grado inferior

*1. Ejercicio de vivencia de peso*

Es preferible adoptar la posición de decúbito supino para practicar este ejercicio. Se cierran los párpados y se permanece muy atento.

El practicante debe concentrarse en el brazo derecho (el izquierdo, si es zurdo) y tratar de sentirlo, pero no de visualizarlo ni de imaginarlo. Una vez que el practicante comience a sentir el brazo, deberá repetir mentalmente: «Mi brazo derecho pesa mucho». Se insiste media docena de veces en esta repetición.

A continuación, el practicante deberá repetir «estoy completamente tranquilo», mientras trata de experimentar una sensación de serenidad y vitalidad.

Seguidamente, ha de flexionar vigorosamente el brazo varias veces, respirar en profundidad y, finalmente, abrir los ojos. La duración de esta técnica va de treinta segundos a un minuto.

El proceso, pues, se resume en:

— Adoptar la posición.
— Cerrar los párpados.

— Decirse mentalmente —y sentirlo— media docena de veces: «Mi brazo derecho pesa mucho».
— Afirmar mentalmente: «Estoy completamente tranquilo», suscitando un sentimiento de paz y vitalidad.
— Mover enérgicamente el brazo, abriendo y cerrando la mano.
— Respirar unas cuantas veces en profundidad.
— Abrir los ojos, dando por finalizado el ejercicio.

Pueden hacerse dos o tres sesiones diarias e incluso más. A medida que transcurren las sesiones, la sensación de peso se intensifica. Tras unos quince o veinte días de práctica, se podrá observar que la sensación de peso, localizada en el brazo, se va propagando a otras zonas del cuerpo. Es entonces cuando llega el momento de pasar al siguiente ejercicio, que consiste en extender la misma sensación de peso al brazo opuesto y, después, al resto del cuerpo.

***2. Ejercicio de vivencia de calor***

Una vez que se ha dominado el ejercicio de vivencia de peso, se procede del siguiente modo:

— Se adopta la postura.
— Se cierran los ojos.
— Se repite mentalmente: «Los brazos me pesan, me pesan... Las piernas me pesan, me pesan... Todo mi cuerpo pesa mucho...».

— Se añade: «Estoy completamente tranquilo...».
— Y después: «Mi brazo derecho está caliente...». Esta última frase se repetirá de ocho a doce veces, tratando de experimentar la vivencia de calor.
— Para terminar, se seguirá el mismo procedimiento que se ha utilizado anteriormente para poner fin al primer ejercicio.

En sesiones sucesivas, una vez se consiga tener la experiencia de calor en el brazo, se tratará de extenderla al resto del cuerpo, del mismo modo que se hizo con la sensación de peso. Es importante evitar la somnolencia que pueda producirse durante la práctica.

El ejercicio de vivencia de calor, por lo general, resulta más difícil de ejecutar que el de peso, y los resultados suelen sobrevenir más lentamente, por lo que se necesitará un poco de paciencia, práctica asidua y disciplina.

### *3. Ejercicio de regulación cardíaca*

Una vez que los ejercicios anteriores se ejecuten a la perfección, se procederá del siguiente modo:

— Se adopta la postura.
— Se cierran los ojos.
— Se localiza la sensación de peso en el brazo derecho del modo antes indicado.
— Se extiende la sensación de peso a todo el cuerpo.
— Se localiza la sensación de calor en el brazo derecho.

— Se extiende la sensación de calor a todo el cuerpo.
— El practicante se dice: «Estoy tranquilo, completamente tranquilo...». Y se sentirá relajado, tranquilo, descansado y con sensación de peso y calor.
— Se dobla el brazo derecho y se lleva la mano a la zona del corazón, con la palma hacia abajo.
— Se identifican las sensaciones de peso y calor en la mano derecha y en la zona del corazón.
— El practicante se esforzará ligeramente en sentir el corazón, concentrándose en él y repitiendo la fórmula: «El corazón late tranquilo y fuerte».
— Se termina con el proceso de finalización anteriormente indicado.

Una vez que el practicante se haya familiarizado con la acción cardíaca, ya no necesitará llevar la mano derecha a la zona del corazón. Según Schultz: «Al cabo de algunas sesiones, comenzarán a percibirse las sensaciones cardíacas».

### *4. Ejercicio de regulación respiratoria*

El practicante tendrá ocasión de observar que, a medida que avanza en la práctica de los ejercicios y se hace más profunda la relajación, la respiración se torna más rítmica y uniforme.

Sin esforzarse demasiado en ello, deberá repetirse mentalmente la siguiente fórmula:

«Mi respiración es tranquila».

Y cuando, en efecto, sea completamente tranquila, añadirá:

«Algo respira en mí».

Ésa es la sensación que debe experimentar: algo respira en él y no es directamente él quién respira.

El practicante deberá permanecer como mero observador y, mentalmente, seguirá como tal su ritmo respiratorio, sin intervenir en él. Comprobará cómo su vientre asciende y desciende, y llegará un momento en el que, realmente, el proceso funcionará con independencia de su voluntad.

La respiración debe provocar una sensación de flotación en el practicante, que se dejará llevar como si se meciera sobre apacibles olas. Según Schultz: «El dominio puede alcanzarse en diez o quince días».

### *5. Ejercicio de la regulación de los órganos abdominales*

Para relajar el abdomen, es aconsejable concentrarse en el plexo solar, con lo que se logra, además, una profundización general en la relajación.

Se procederá del siguiente modo:

— Se cierran los ojos.

— Se experimenta la sensación de peso a lo largo de todo el cuerpo.
— A continuación, la sensación de calor.
— El practicante se mantiene tranquilo mediante la fórmula ya indicada.
— Se observa la respiración durante un corto período de tiempo y se intenta, sin esfuerzo, hacerla uniforme.
— Se reúne una gran cantidad de calor en el plexo solar. Progresivamente, comenzaremos a sentir su peso.

Este ejercicio se puede combinar con el de regulación cardíaca, aunque sólo después de haber adquirido cierta destreza en su práctica.

### *6. Ejercicio de regulación de la región cefálica*

Así como en el ejercicio anterior debías experimentar calor en el plexo solar, en éste deberás sentir cierta sensación de frescor en la frente. En el ejercicio precedente, se trataba de provocar una vasodilatación (que produce calor) y en éste, una vasoconstricción (que genera frescor).

A propósito de este ejercicio, Schultz nos indica que ciertas personas logran experimentarlo con mayor facilidad que otras.

Se procede del siguiente modo:

— Relájate y trata de sentirte cómodo.
— Concéntrate en la mente, y siéntela fresca mediante la repetición de la fórmula: «Mi mente está agradablemente fresca».

Este ejercicio dura tan sólo unos segundos. Schultz remarca: «El enfriamiento frontal puede aprenderse en un período de entre ocho y quince días. Como en todas partes existen corrientes de aire imperceptibles, el enfriamiento frontal se percibe muchas veces como un hálito frío, el "hálito fantasmal" del que hablan los espiritistas».

## Realización completa del método de grado inferior

Una vez que el practicante haya dominado todos los ejercicios por separado, podrá realizarlos en conjunto siguiendo los pasos que detallamos a continuación:

— Se adopta la postura.
— Se cierran los ojos.
— Mentalmente se dice: «Estoy completamente tranquilo, muy tranquilo...», y tratará de centrarse en la calma que experimenta.
— Se busca la sensación de peso en los brazos, en las piernas y en el resto del cuerpo, y se dice: «Los

brazos y las piernas me pesan, me pesan mucho... Todo el cuerpo me pesa, me pesa mucho...».

— Seguidamente, se trata de sentir calor en todo el cuerpo, partiendo de los brazos y de las piernas.

— Después, el practicante debe concentrarse en el corazón y repetirse: «Mi corazón late tranquilo y fuerte».

— Se observa la respiración y se dice internamente: «Mi respiración es tranquila».

## Beneficios

· Así como el excesivo desgaste de energía conduce al agotamiento, la práctica de este método proporciona descanso y restablecimiento.

· Disminuye considerablemente la tensión.

· Aumenta el poder de concentración.

· Incrementa el rendimiento. Como dice Schultz: «La introspección y la concentración permiten incrementar el rendimiento; los sentimientos, las sensaciones, las comprensiones internas y los recuerdos, están más a disposición del practicante».

· Cuando el practicante domina la técnica, experimenta un mayor poder sobre sí mismo y una capacidad de autodeterminación más amplia.

- El practicante llegará a un excelente conocimiento de sí mismo y, a través de ello, a un mejor conocimiento de los demás.
- Previene contra la irritabilidad y los estados de psicastenia.
- Previene, e incluso ayuda a combatir, tics nerviosos, tartamudeo, insomnio, colitis mucosa, espasmos de esófago e intestinos, hipersecreción estomacal, trastornos cardíacos orgánicos y funcionales, hipertensión, depresión, dismenorrea, toxicomanías, prurito, asma, dolores reumáticos y cefaleas.
- Acorta los periodos de convalecencia.

— Se dirige la atención al plexo solar, y se trata de sentir peso y calor en él, mientras se repite: «Mi plexo solar irradia calor».

— Finalmente, el practicante se concentra en la frente y se dice: «Mi frente está fresca, fresca...».

El método de grado inferior se puede llegar a dominar en unos tres meses.

## Ejercicios de grado superior

Sólo después de haber alcanzado el completo dominio de los ejercicios de grado inferior, el practicante estará capacitado para emprender la práctica de los de grado superior.

*Ejercicio de preparación*

El practicante adopta la posición de decúbito supino y relaja todo el cuerpo, tanto como pueda, poniendo especial atención en el cuello, los hombros y el estómago. Se giran suavemente los ojos hacia arriba y se intenta llegar a un estado de máxima interiorización, amortiguando de este modo el impacto de los estímulos provenientes del exterior. Los ojos deben mirar hacia el centro de la frente, técnica que los yoguis han venido practicando desde hace milenios. Debe evitarse, por supuesto, cualquier esfuerzo excesivo.

*Ejercicio del color propio*

En la postura de decúbito supino, se efectúa la relajación, se eleva el nivel de atención y, en un estado de pasividad-actividad (es decir, en el que se espera activamente, pero sin ningún tipo de esfuerzo), se aguarda la aparición de cualquier color. Cuando éste se presente, el practicante tratará de extenderlo a todo su campo visual interno y de hacerlo más nítido. Probablemente, dicho color esté mezclado con otros, aparezca y desaparezca, o tal vez se presente asociado a objetos diversos. Pero, con la práctica, llegará el momento en que se consiga un color totalmente uniforme y libre de asociaciones.

El ejercicio se realiza durante media hora al día. Si se acusa fatiga o cansancio durante las primeras sesiones, la práctica deberá suspenderse en el acto. Hay personas que enseguida se familiarizan con un color y lo tienen presente siempre que realizan este ejercicio; otras, en cambio, pasan de uno a otro y no llegan a habituarse a ninguno. En el caso de que no se presente un color, se puede seleccionar uno y trabajar con él.

***Ejercicios de colores del espectro***

Se busca un color, se extiende a todo el campo visual interno y se desecha. A continuación, se repite el proceso con otro color, y así sucesivamente. No importa que en este ejercicio se asocien colores con objetos.

***Ejercicio de visión de objetos***

El practicante se tiende sobre la espalda y se relaja profundamente, tratando de que su respiración sea uniforme e interiorizando al máximo para evitar el impacto de los estímulos externos. Seguidamente, se permite que en la oscuridad del campo visual interno aparezcan tantas vivencias como libremente quieran acudir. Por último, el practicante deberá concentrarse en un objeto sencillo, visualizándolo con la mayor fidelidad posible.

Una vez que se haya dominado la concentración sobre objetos simples, es posible seleccionar otros más complejos.

### *Ejercicio de visualización de conceptos abstractos*

Una vez que el practicante se haya familiarizado con la visualización de objetos concretos, puede pasar a meditar sobre ideas abstractas, tales como el amor, la felicidad, el orden, la justicia, etcétera. Por medio de esta práctica, se obtiene una vida interior mucho más rica e intensa en todos los aspectos.

### *Ejercicio de sentimiento propio*

Tras alcanzar el completo dominio del ejercicio anterior, se podrá pasar a la siguiente práctica, que consiste en experimentar sentimientos de las más variadas clases. Deben seleccionarse los más beneficiosos, aquellos relacionados con la tranquilidad, la paz, el descanso, etcétera. A propósito de este ejercicio, Schultz declara: «En esta fase, se distinguen las personas realistas de las idealistas; las primeras recurren a vivencias aisladas, del pasado o del mundo de sus deseos, mientras que las últimas prefieren imágenes más generalizadas».

### *Ejercicio de respuestas del subconsciente*

Se trata de dirigir al subconsciente preguntas como: ¿Por qué no soy feliz? ¿Qué debo hacer para vivir en paz conmigo mismo? ¿Qué realizo mal? Hay que esperar respuestas que surjan desde lo más profundo.

***Ejercicio de formulación de propósitos***

Se deberán formular una serie de propósitos y afirmaciones, como: Soy dueño de mí mismo. Yo decido por mí. Tengo una voluntad fuerte, etc. Tienen un carácter autoformativo y se utilizan para mejorar la personalidad, la actitud y el comportamiento.

## Beneficios

- El practicante va labrándose un carácter más firme, mejorando su capacidad de interiorización y concentración.
- Se obtiene una mejor relación con uno mismo, se descubre el mundo interior y éste, a su vez, se enriquece.
- La práctica es psicoterapéutica y tiene un poder catártico, con capacidad para eliminar los recuerdos que desequilibran el sistema nervioso.
- Se consigue una comunicación mucho más fructífera y armónica con el mundo circundante, se mejora la capacidad de adaptación y relación, y contribuye a alcanzar la felicidad.
- Aumenta la capacidad de control mental, acentúa las vivencias internas y la facultad de imaginación.

# 3

# La relajación progresiva

A principios del siglo xx, el doctor Edmund Jacobson dio a conocer, en la Universidad de Harvard, el método de relajación que había concebido. Quizá ni él mismo sospechaba entonces el gran número de personas que llegaría a practicarlo. Después de ejercer, durante una década, como profesor de fisiología en la Universidad de Chicago, investigó a fondo su método en el Laboratorio de Fisiología Clínica, realizando innumerables experimentos con sujetos de todas las edades y condiciones. El método neutraliza los trastornos emocionales que, como dice Jacobson, «comprenden diversos desórdenes nerviosos comunes, incluidos los estados de temor y ansiedad, que acompañan, a menudo, a úlceras pépticas, indigestiones nerviosas, colon espástico, hipertensión arterial y ataques cardíacos coronarios».

## Requisitos del método

Existen ciertos requisitos previos a la ejecución del método de relajación progresiva:

- La práctica perseverante es imprescindible.
- No hay que forzar los resultados, sino que la práctica debe llevarse a cabo con una actitud paciente.
- Lo ideal es practicar, al menos, media hora al día, aunque son más recomendables las sesiones de una hora. Se pueden hacer dos sesiones si no hay tiempo para una más prolongada.
- Debe practicarse en una habitación silenciosa, en semipenumbra. Ha de evitarse cualquier perturbación durante la práctica.
- El doctor Jacobson recomienda suspender la sesión hasta el día siguiente si aparecen sensaciones extrañas como las antes citadas.

## Ejecución del método de relajación progresiva

### *Ejercicio 1*

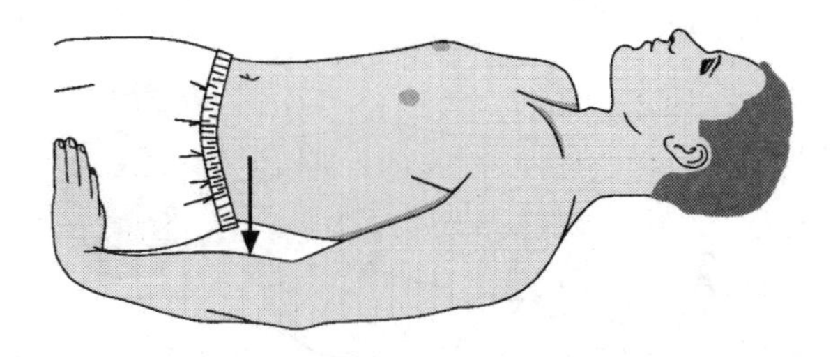

Figura 3

En posición de decúbito supino, con los ojos cerrados y manteniendo la mente muy atenta, debes concentrarte en el brazo izquierdo, ignorando por completo las otras partes del cuerpo. La palma de la mano debe quedar hacia abajo.

Flexiona la mano hacia atrás y observa qué parte del brazo se pone en tensión (figura 3, donde la flecha indica el punto en que se experimenta mayor tensión). Relaja primero esa zona y después continúa con el resto del brazo. Pasados unos instantes, repite la operación. Pon la mano en la posición inicial de partida. Para finalizar, mantén el brazo relajado durante veinte minutos aproximadamente.

De este modo, irás familiarizándote con la tensión. A este ejercicio se le pueden dedicar tres o cuatro sesiones, aunque para algunas personas dos sesiones serán ya suficientes.

## *Ejercicio 2*

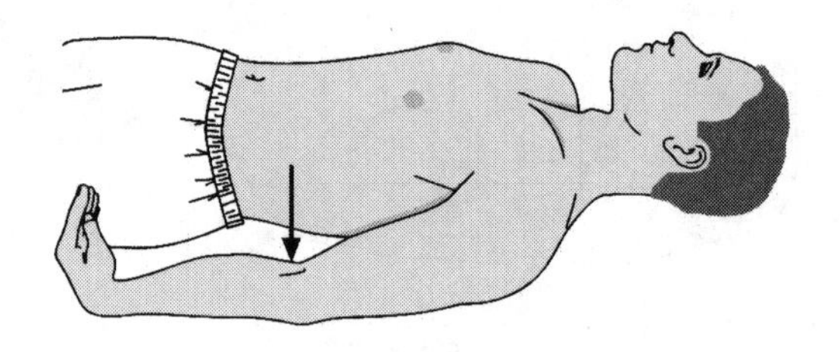

Figura 4

Lleva tu atención al brazo izquierdo, pero, esta vez, con la palma de la mano hacia arriba.

Dobla la mano hacia el antebrazo. Así como en el anterior ejercicio la tensión se percibía en la zona superior de la parte posterior del brazo, en éste se acumula en la zona media de la parte anterior (figura 4).

Localizada la tensión, deja que la mano descienda lentamente y relaja el brazo. La mano cae por sí misma.

Repite la operación tres veces y procede a la relajación del brazo durante media hora.

Dos días son suficientes para dominar este ejercicio y, entonces, se podrá pasar al siguiente.

*Ejercicio 3*

Consiste en dedicar una hora a la relajación del brazo izquierdo, sin operar con la muñeca, tratando de localizar y disipar las tensiones que se presenten.

*Ejercicio 4*

Éste es un ejercicio de repaso. Dobla la muñeca tres veces hacia arriba y hacia abajo, y dedica el resto del tiempo a relajar el brazo izquierdo. Al doblar la muñeca, trata de percibir primero la tensión y relájala después, dejando que la mano caiga con suavidad.

*Ejercicio 5*

Se procede del siguiente modo:

— Dobla la muñeca hacia arriba durante un minuto y localiza la tensión acumulada. A continuación, deja que tu mano descienda.
— Relaja el brazo durante unos minutos.
— Dobla la muñeca hacia abajo durante un minuto y evita las tensiones relajándola. Después, la mano debe volver a su lugar.
— Relaja el brazo durante unos minutos.

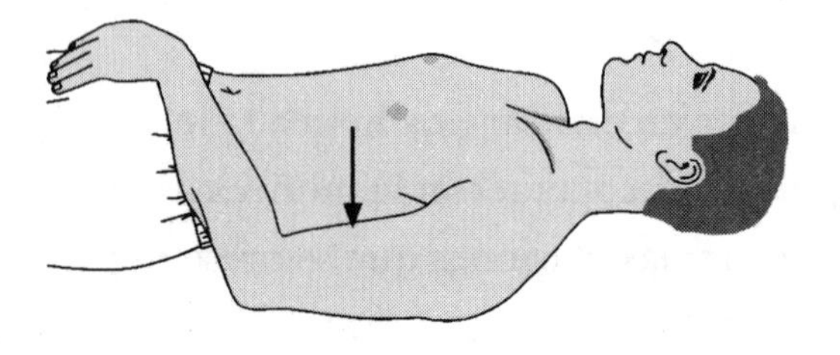

Figura 5

— Flexiona el antebrazo izquierdo formando un ángulo de 30 grados, sin que el codo se despegue del suelo y tratando de que la mano quede suelta (figura 5). Al doblar el brazo de este modo, la tensión se acumula en el bíceps. Trata de percibir dicha tensión y familiarízate con ella. Mantén el brazo doblado durante tres o cuatro minutos y, después, deja que descienda lentamente. Relájalo durante unos minutos y, a continuación, vuelve a doblarlo. Transcurrido un minuto, deja que descienda nuevamente y dedica el resto de la sesión a su relajación. Aunque este ejercicio puede complementarse con los anteriormente expuestos, conviene practicarlo de forma independiente si ya se ha avanzado en la práctica de los otros.

## *Ejercicio 6*

Por debajo de la mano izquierda, tal como se indica en la figura 6, coloca un montón de libros de manera que alcancen unos doce centímetros de altura. Seguidamente, cuando comiences a sentir que tu cuerpo se relaja, cierra los ojos y, con la palma de la mano izquierda, ejerce una leve presión sobre los libros, localizando la tensión en la parte posterior del brazo, la cual tratarás de relajar. Repite el proceso tres veces, un minuto de cada vez. Para finalizar, relaja el brazo durante un espacio de treinta minutos.

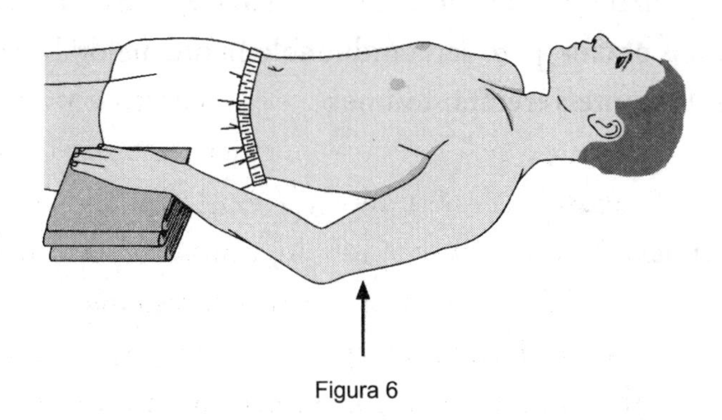

Figura 6

## *Ejercicio 7*

Dedica una sesión completa a la relajación en general, sin realizar flexión alguna y evitando únicamente las tensiones que puedan ir surgiendo.

### *Ejercicio 8*

En la postura de decúbito supino y con los ojos cerrados, contrae lenta y progresivamente el brazo izquierdo, sin moverlo en absoluto. Éste debe permanecer tenso durante treinta segundos. A continuación, también lenta y progresivamente, aflójalo hasta que quede completamente relajado. Repite el proceso un par de veces y, para finalizar, intenta que el brazo permanezca relajado durante el resto de la sesión. Dedica dos sesiones a este ejercicio.

Una vez que domines la serie anterior, deberás pasar al brazo derecho. Jacobson explica: «Después de aproximadamente doce sesiones, puedes haber terminado con ambos brazos, pero sería indudablemente mejor dedicarles de veinte a treinta sesiones».

### *Ejercicio 9*

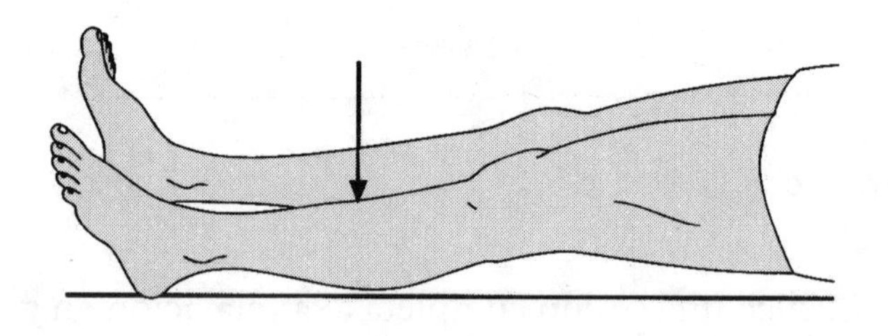

Figura 7

Túmbate sobre sobre la espalda. Con los ojos cerrados, dirige la atención a la pierna izquierda y dobla el pie izquierdo hacia atrás (figura 7). Mantén el pie en esa posición durante al menos un minuto y trata de percibir la tensión en la parte anterior de la pierna, un palmo más abajo de la rodilla. A continuación, relaja la zona en tensión y permite que el pie descienda lentamente hasta que quede en su posición normal.

Lleva tres veces el pie hacia dentro, relaja otras tres veces la zona en tensión y deja que vuelva a su posición de partida. Finalmente, dedica el resto de la sesión a relajar intensamente la pierna.

Es recomendable dedicar a este ejercicio dos o tres días.

### *Ejercicio 10*

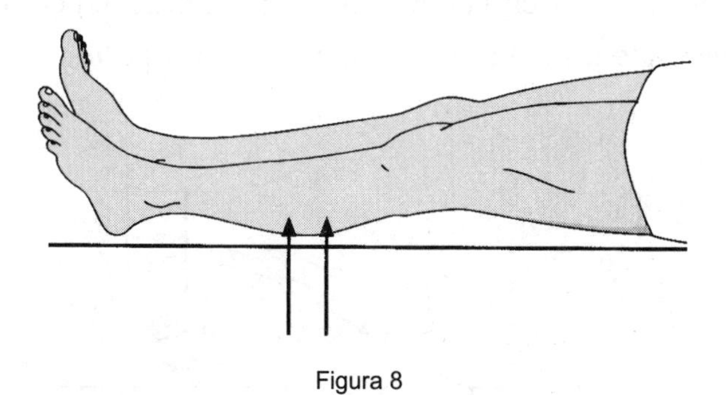

Figura 8

Consiste en llevar el pie izquierdo hacia abajo, tal como se indica en la figura 8, y percibir la tensión acumulada en la pantorrilla. Se repite dicho proceso dos o tres veces y se dedica el resto de la sesión a la relajación.

### *Ejercicio 11*

Túmbate en la cama, sobre la espalda, y cierra los ojos. A continuación, deja que la pierna izquierda permanezca fuera de la cama, ligeramente doblada por la rodilla, como se ilustra en la figura 9. Extiéndela tres veces, sácala de nuevo y déjala caer suavemente. Durante el tiempo restante, mantenla doblada y percibe la tensión acumulada en el muslo. Por último, trata de relajar la zona afectada.

El pie de la pierna flexionada no deberá alcanzar el suelo, lo que requiere que la cama sea lo suficientemente alta para evitar que eso ocurra. Al comienzo, la tensión puede aparecer en la parte inferior del muslo, pero donde verdaderamente se acumula es en la superior.

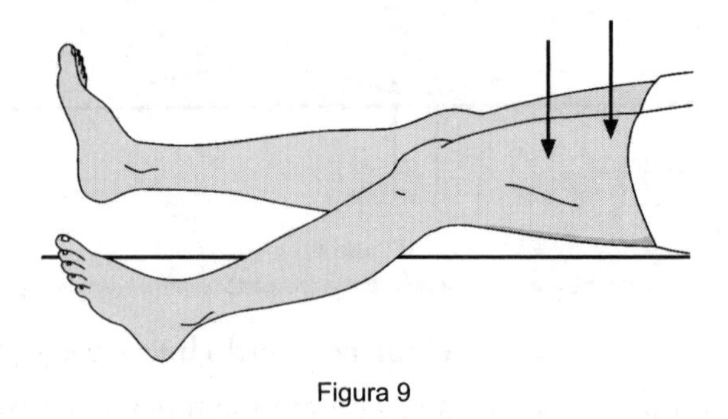

Figura 9

## *Ejercicio 12*

Al igual que en el ejercicio anterior, deja que la pierna permanezca fuera de la cama, pero en ángulo recto con el muslo, como se ilustra en la figura 10. Intenta percibir la tensión, que se acumulará en la parte posterior del muslo, y trata de disiparla. Para ello, dobla la pierna dos o tres veces. Finalmente, déjala doblada y dedica toda la sesión a relajarla.

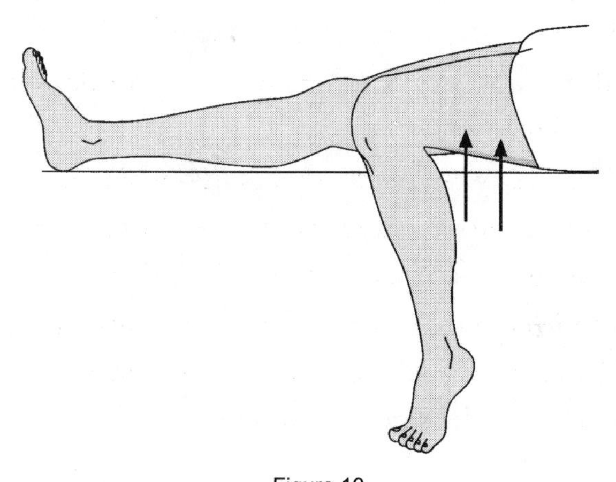

Figura 10

## *Ejercicio 13*

Tal como se ilustra en la figura 11, flexiona la pierna y el muslo ligeramente. La tensión se acumulará en la ingle y en la cadera. Repite el proceso tres veces y, después, dedica el resto de la sesión a relajar la pierna, el muslo y la cadera.

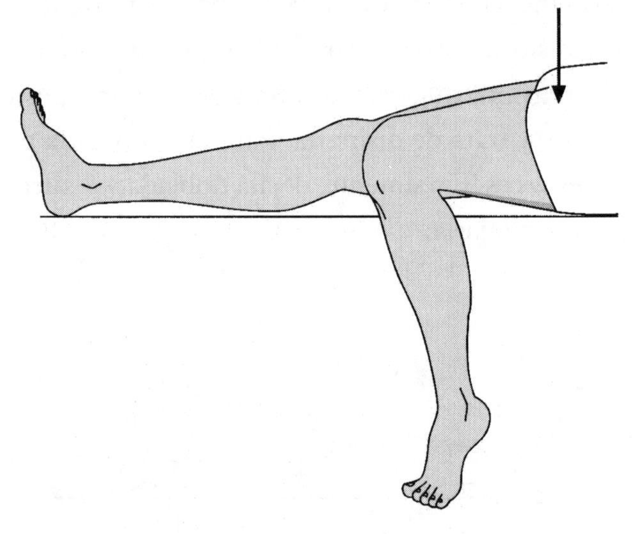

Figura 11

### *Ejercicio 14*

Se procede del siguiente modo:

— Tiéndete sobre la espalda y cierra los ojos. Previamente, coloca una pila de libros (de un grosor de diez centímetros aproximadamente) bajo el muslo, tras la rodilla, como se ilustra en la figura 12.
— En primer lugar, dirige la atención a toda la pierna izquierda y, después, al muslo en particular. Ejerce una ligera presión con  el muslo sobre los

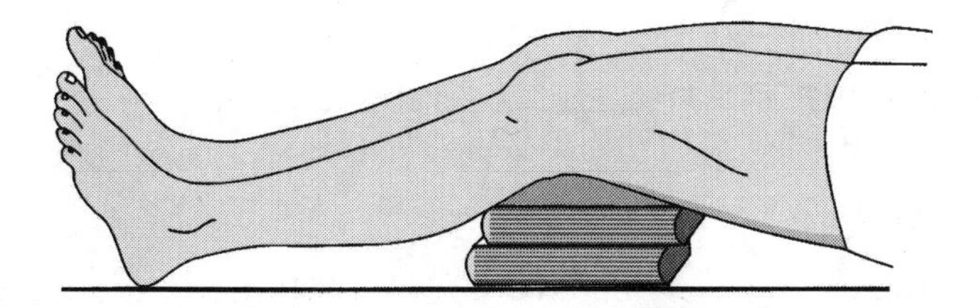

Figura 12

libros, durante medio minuto, y trata de percibir la tensión que se acumula en la nalga.

— Presiona tres veces sobre los libros y relaja la zona afectada evitando toda tensión.

— Tras esto, dedica el resto de la sesión a la relajación, poniendo especial atención en la zona que se contrajo. Procede de igual modo con la otra pierna.

### *Ejercicio 15*

Si contraes el abdomen, percibirás una ligera tensión (figura 13). Deberás familiarizarte con dicha tensión y tratar de eliminarla por completo. Para ello, contrae dos o tres veces el abdomen y, seguidamente, esfuérzate por relajarlo. Hazlo sólo tres veces, y dedica el resto de la sesión a relajar el abdomen lo más profundamente posible.

Se pueden invertir cuatro sesiones para dominar a fondo este ejercicio.

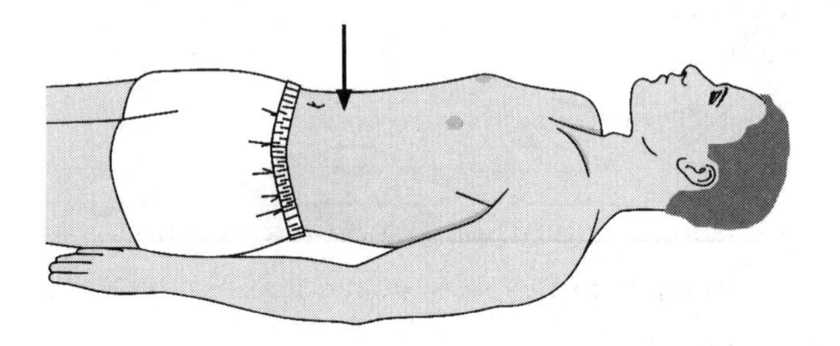

Figura 13

## *Ejercicio 16*

Colócate en posicion de decúbito supino y, con los ojos cerrados, arquea ligeramente la espalda (figura 14), sin servirte de los brazos, tensando la columna vertebral. Después, volviendo a la posición inicial, relaja la espalda y la columna vertebral durante tres cuartos de hora.

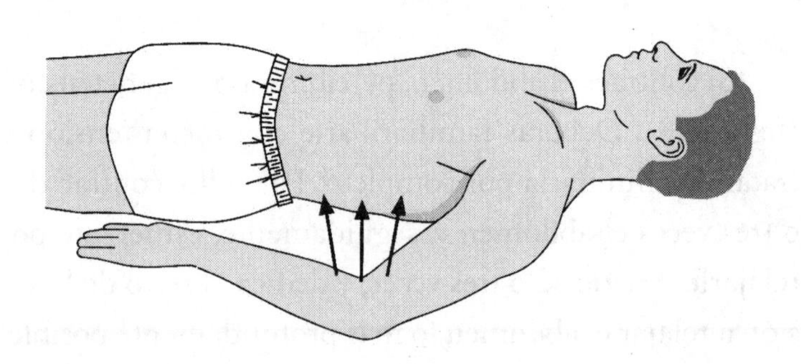

Figura 14

## *Ejercicio 17*

Se procede del siguiente modo:

— Adopta la posición de decúbito supino.
— Relájate por espacio de media hora aproximadamente.
— Respira, amplia y profundamente, hasta que percibas cierta tirantez en el pecho, que será más intensa cuando inspires que cuando espires, y mayor aún cuando retengas el aire en la cavidad torácica (figura 15).
— Relaja la cavidad torácica hasta que la respiración fluya sin control.

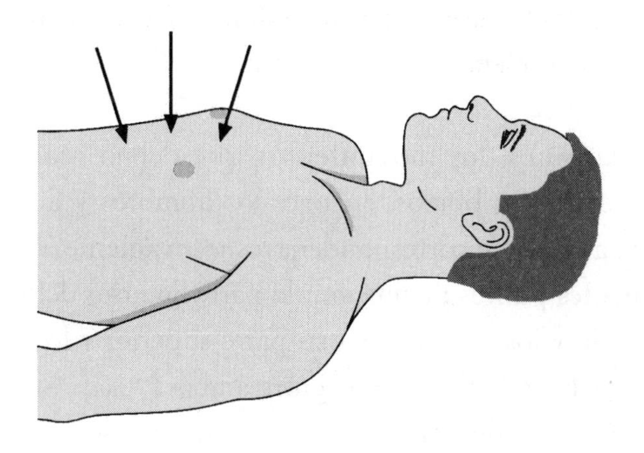

Figura 15

## *Ejercicio 18*

Se procede del siguiente modo:

— Adopta la posición de decúbito supino.
— Extiende el brazo izquierdo y observa cómo se acumula tensión en la parte anterior del tórax, próxima al hombro. Seguidamente, regresa el brazo a su posición inicial y relaja la zona afectada.
— Procede de igual modo con el brazo derecho.
— Encoge los hombros y, después, relaja la zona en tensión.
— Lleva los hombros hacia atrás y percibe la tensión en los omóplatos. Después, retoma la posición original y procede a la relajación.
— Por último, dedica media hora a la relajación completa.

Así pues, los movimientos que deben realizarse —extender los brazos, encoger los hombros y llevarlos hacia atrás— se corresponden, respectivamente, con los siguientes puntos de tensión: la parte anterior del tórax, el cuello y los hombros en su parte superior y los omóplatos y la zona intermedia entre ambos.

Estos movimientos pueden realizarse dos o tres veces consecutivas, siempre seguidos de un tiempo de relajación.

Pocas sesiones serán suficientes para familiarizarse con la tensión de los hombros.

## *Ejercicio 19*

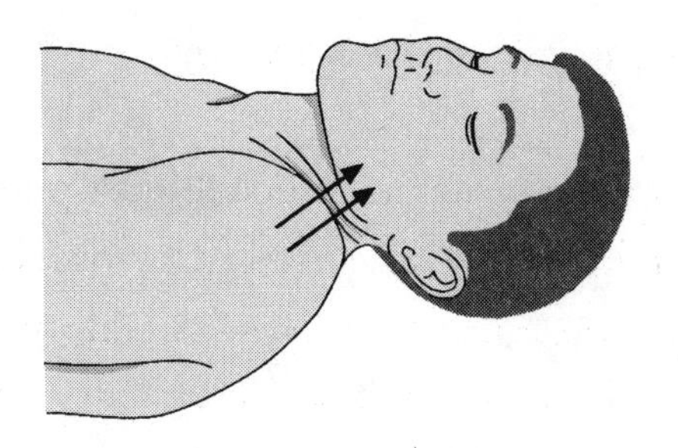

Figura 16

Este ejercicio deber realizarse sentado. Primero, inclina la cabeza hacia la izquierda (figura 16) y observa la tensión en ese lado del cuello. Seguidamente, gira hacia la derecha y percibe la tensión en el lado derecho. Por último, lleva la cabeza hacia atrás para poder sentir la tensión en la parte anterior del cuello. Una vez que se han ejecutado estos movimientos, afloja el cuello y deja que la cabeza caiga ligeramente. Dedica unos cuantos minutos a la relajación total del cuello.

Tres o cuatro sesiones son suficientes.

## *Ejercicio 20*

Para relajar la frente, frúncela un par de veces (figura 17), siente la tensión y, finalmente, suelta los músculos de la zona. El resto del tiempo, dedícalo a la relajación

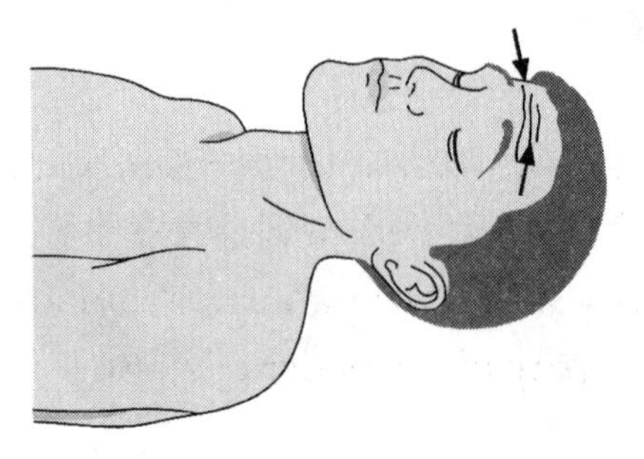

Figura 17

completa. Dos sesiones bastan para familiarizarse con la tensión de la frente.

*Ejercicio 21*

Para aprender a relajar el entrecejo, frúncelo y suéltalo tres veces. Después, se procede a relajarlo. Dos sesiones serán suficientes.

*Ejercicio 22*

Relájate y, con los ojos cerrados, mueve varias veces los ojos en uno y otro sentido, a fin de familiarizarte con la tensión de éstos y disiparla.

### *Ejercicio 23*

Para relajar los párpados, apriétalos una y otra vez con fuerza. Después, dedica algunos minutos a su relajación. Dos sesiones servirán para familiarizarse con la tensión en los párpados y poder relajarlos.

### *Ejercicio 24*

Consiste en relajar las mandíbulas. Para ello, basta con que las contraigas, apretando una contra la otra, para percibir la tensión que se acumula en ellas y en las sienes. Seguidamente, procede a relajarlas. Dos o tres días bastarán para dominar este ejercicio.

### *Ejercicio 25*

Abre la boca tanto como puedas hasta tensar las mandíbulas por debajo de ambas orejas. Una sesión será suficiente.

### *Ejercicio 26*

Coloca los labios como si fueras a decir «u» y acumula la tensión durante unos segundos. Seguidamente, procede a relajarte.

### *Ejercicio 27*

Para percibir la tensión en las mejillas bastará con enseñar los dientes. Deja los labios en esa posición durante unos segundos y después relaja la zona afectada. Una sesión es suficiente.

### *Ejercicio 28*

Consiste en contar repetidas veces de uno a diez, pero bajando la voz progresivamente, hasta que ésta resulte imperceptible. Cada vez que cuentes, trata de percibir la tensión en los labios, en las mandíbulas, en la lengua, en la garganta y en el diafragma. Deberás observar que, a medida que cuentas, todas las tensiones van cediendo. Una vez hayas contado varias veces, concéntrate en las partes tensas y relájalas. Se aconsejan tres días de práctica.

## Programa de relajación progresiva

— Brazo derecho: ejercítalo una hora o más al día, durante seis días aproximadamente.
— Brazo izquierdo: sin dejar de trabajar con el brazo derecho, continúa, al mismo tiempo, con el izquierdo una hora diaria durante seis días.
— Pierna derecha: añade al programa de ejercicios la pierna derecha durante nueve días.
— Pierna izquierda: ahora también con la pierna izquierda durante otros nueve días.
— Tronco: práctica adicional durante tres días.
— Cuello: ejercicio adicional durante dos días.
— Frente: un día.
— Cejas: un día.
— Párpados: un día.
— Ojos: diariamente, durante una semana.
— Mejillas: un día.
— Mandíbulas: dos días.
— Labios: un día.
— Lengua: dos días.
— Dicción: tres días.

Con respecto a la relajación mental, el doctor Jacobson declara: «En ningún momento debes hacer esfuerzo alguno para dejar de pensar o para poner la mente en blanco. Durante todo el programa, tu único propósito es relajar los músculos de forma progresiva, dejando que los demás efectos sobrevengan cuando sea posible».

El método de relajación progresiva requiere varios meses de práctica y consiste en familiarizarse con la tensión, provocándola intencionadamente, para después disiparla. Es útil en personas que tienen dificultades para percibirla, así como en aquellas con hábitos de vida sedentarios. Quienes hayan trabajado con el cuerpo y estén más familiarizados con la tensión, pueden aprender a relajarse en mucho menos tiempo. Como podemos comprobar, el sistema de relajación de yoga y el del entrenamiento autógeno son métodos de relajación pasiva y consciente, en tanto que el del doctor Jacobson se basa en la tensión-relajación. Los métodos del yoga y de Schultz tienen un mayor alcance psicosomático, pero el de Jacobson es más somático y fácil de aplicar que el de Schultz, tanto en su grado inferior como superior.

### Beneficios

Ayuda a prevenir e incluso a combatir:

— La hipertensión neuromuscular aguda.
— La hipertensión neuromuscular crónica, presente en el cuadro que comúnmente se denomina neurastenia, pero también en todas las neurosis funcionales, como fobias, tics, espasmos,

insomnio, tartamudeo, desequilibrio emocional y reflejos aumentados sin lesión orgánica.
— Los estados de fatiga y agotamiento.
— Los estados de convalecencia de enfermedades infecciosas.
— Las condiciones pre y posoperatorias.
— El bocio tóxico.
— Los trastornos del sueño.
— Los espasmos alimentarios, incluidos la colitis mucosa, el espasmo cólico, el cardioespasmo y otros espasmos de esófago.
— La úlcera péptica.
— La tuberculosis pulmonar crónica.
— Los trastornos cardíacos orgánicos y funcionales.
— La hipertensión vascular.
— Las neurosis de vejiga.
— Las depresiones ciclotímicas, el alcoholismo leve, la neuralgia y la dismenorrea.

## Método sintetizado de tensión-relajación

Existen muchas variantes del método de tensión-relajación. La que expongo a continuación proporciona excelentes resultados para personas muy tensas y que encuentran especial dificultad con la relajación. Además, requiere menos sesiones que el método anterior.

Aconsejo que cada contracción se mantenga durante cinco segundos. La mejor posición para comenzar el aprendizaje es acostado sobre la espalda. Debemos observar los siguientes preliminares:

— Posición de decúbito supino.
— Ojos cerrados.
— Recuperación constante de la respiración pausada.
— Actitud de descanso.
— Atención vigilante.
— Las contracciones deben ser consistentes, pero nunca se forzarán en exceso. A una contracción de unos cinco segundos, le sigue una relajación y, a ésta, otra contracción, para después volver a relajar. Si alguien se encarga de guíar la práctica, deberá emplear los términos «tensar» y «soltar», pues son los más apropiados para este método. Propongo sesiones de quince minutos.

***1.ª sesión***

— Se tensa la pierna derecha durante cinco segundos, proyectando la punta del pie hacia delante, como en *ballet*.
— Se relaja durante uno o dos minutos.
— Se tensa.
— Se suelta.
— Se tensa.

— Se suelta y se invierte el tiempo restante exclusivamente en sentir cada vez más relajada la pierna derecha, manteniendo el cuerpo inmóvil.

***2.ª sesión***

— Se repite exactamente la sesión anterior.

***3.ª sesión***

— Se procede con la pierna izquierda del mismo modo que se hizo en la primera sesión con la derecha.

***4.ª sesión***

— Se repite la sesión anterior.

***5.ª sesión***

— Se tensan y se sueltan ambas piernas seis veces. Se invierte el resto de la sesión en relajarlas tanto como sea posible, con el cuerpo completamente inmóvil.

***6.ª sesión***

— Se repite la sesión anterior.

***7.ª sesión***

— Se contraen y se sueltan, seis veces, la mano derecha (cerrándola en un puño) y el brazo derecho. Después, se relajan manteniendo el cuerpo inmóvil.

*8.ª sesión*

— Se repite la sesión anterior.

*9.ª sesión*

— Se procede con el brazo y la mano izquierdos de la misma forma que se hizo con el brazo y la mano derechos.

*10.ª sesión*

— Se repite la sesión anterior.

*11.ª sesión*

— Se tensan y sueltan manos y brazos seis veces. Se dedica el resto de la sesión a relajarlos en profundidad.

*12.ª sesión*

— Se tensan piernas, brazos, manos y tronco (este último arqueándolo ligeramente) seis veces. El resto de la sesión se invierte en relajar todo el cuerpo.

*13.ª sesión*

— Se repite la anterior sesión.

*14.ª sesión*

— Se contrae y se suelta el cuello seis veces, llevando la barbilla hacia el pecho. Se dedica el resto del tiempo a relajar los músculos del cuello.

*15.ª sesión*

— Se repite la sesión anterior.

*16.ª sesión*

— Se tensan los distintos músculos de la cara —contrayendo mandíbulas, labios y párpados— y se sueltan seis veces. Se invierte el resto de la sesión en relajar los músculos de la cara.

*17.ª sesión*

— Se repite la sesión anterior.

*18.ª sesión*

— Se tensa seis veces todo el cuerpo, incluidos los músculos de la cara, y se relaja durante el resto del tiempo.

*19.ª sesión*

— Se relaja todo el cuerpo, pero sin tensarlo previamente.

Las personas que, antes de proceder a la relajación, efectúen estiramientos de yoga no necesitan recurrir a tensar y soltar, puesto que éstos ejercicios ya van desbloqueando e induciendo a una relajación profunda y reparadora.

# 4

# Método de relajación dirigida en veintitrés sesiones

La presencia de un instructor, amigo o familiar proporciona a muchas personas una mayor seguridad y motivación a la hora de hacer los ejercicios. Además, el hecho de escuchar una voz bien modulada dirigiendo la sesión, puede agilizar más el proceso.

A continuación, veremos un programa de excepcional eficacia, con sus correspondientes guiones.

El practicante debe sentir la presencia del instructor, que se colocará cerca de él para facilitar la comunicación. La sesión puede durar alrededor de veinte minutos. Es un programa diseñado en veintitrés sesiones, de forma que, si el sujeto lo practica a diario, puede aprender a relajarse de un modo eficaz en menos de un mes. Se trata de una relajación consciente y pasiva, es decir, que no requiere ningún tipo de tensión o contracción. Durante los ejercicios, es importante mantener el cuerpo inmovil, una respiración pausada y la máxima atención.

***1.ª sesión***

Texto para el instructor:

*«Colócate cómodamente. Permanece absolutamente tranquilo, ya que la relajación es una técnica sumamente antigua y segura. Permanece sereno mientras te explico lo que haremos a diario.*

*»Aprenderás a relajar tu cuerpo y a tranquilizar tu mente. La relajación no tiene ningún secreto y es sólo cuestión de práctica. Paulatinamente, aprenderás a descontraerte por completo. Tú eres quien hará todo el trabajo, ya que yo me limitaré a indicarte la técnica que deberás aplicar. Llevará su tiempo y deberás ser paciente. Poco a poco te darás cuenta de hasta qué punto es posible evitar las tensiones neuromusculares y hallarás una sensación de quietud y serenidad, con el subsiguiente beneficio para el cuerpo y la mente. Con cada sesión que efectuemos, notarás tus progresos, con lo que estaras más tranquilo durante todo el día, evitarás inútiles contracciones, dormirás mejor y hallarás una mayor paz interior.*

*»Deberás seguir mis indicaciones con atención, pero sin realizar ningún tipo de esfuerzo, permaneciendo siempre sereno. Hoy vamos a practicar con los pies y las piernas.*

*»Dirige tu atención a los pies y a las piernas, y trata de sentirlos. En primer lugar, afloja todos los músculos*

*de los pies. Siéntelos flojos, muy flojos y abandonados. Los pies caen, respectivamente, hacia uno y otro lado. Todos los músculos de los pies se aflojan cada vez más profundamente. Todos los músculos de las piernas se sueltan, están cada vez más relajados, más y más relajados.*

*»Ahora siente las piernas. Los músculos de las piernas también se aflojan cada vez más, más y más profundamente. Todos los músculos de las piernas se aflojan, están muy sueltos, cada vez más y más relajados.*

*»Siente las pantorrillas. Concéntrate en ellas y afloja los músculos. Aflójalos cada vez más, profundamente. Notarás que las piernas y los pies se sueltan más y más, profundamente, más y más, profundamente, muy profundamente.*

*»Ahora voy a guardar unos minutos de silencio para que tú continúes sintiendo cada vez más flojos todos los músculos de los pies y de las piernas. No te distraigas. Mantén tu atención fija en los pies y en las piernas, y siente cómo se sueltan cada vez más».*

El instructor guarda silencio de ocho a diez minutos. Después, sigue:

*«Lo has hecho todo muy bien. Ahora ve moviendo poco a poco los pies y las piernas. Respira profundamente varias veces. Muy bien. Ya puedes incorporarte.*

*Ya verás cómo todo va a ir muy bien en las próximas sesiones y lo bien que te vas a sentir».*

***2.ª sesión***

Esta sesión también se invierte en la relajación de pies y piernas, pero tomando conciencia de cada parte de una forma más minuciosa.

Texto para el instructor:

*«Vamos a seguir relajando los pies y las piernas. Permanece muy atento y tranquilo. Ya verás cómo, en cada sesión, logras familiarizarte un poco más con tus músculos y relajarte más profundamente.*

*»Siente los dedos de los pies y relájalos. Relájalos cada vez más. Los dedos de los pies se aflojan, están completamente relajados. Asimismo, todo el pie se va relajando cada vez más, profundamente. Todos los músculos de los pies están flojos, están muy flojos y relajados.*

*»Ahora, toma conciencia de los músculos de las pantorrillas. Aflójalos. Siéntelos más y más relajados, cada vez más relajados. Las rodillas también se sueltan cada vez más, profundamente; más y más profundamente. Ahora, concéntrate en los muslos. Siéntelos. Los muslos se sueltan, están completamente sueltos.*

*»Lleva ahora tu atención a los pies y las piernas. Éstos se sueltan cada vez más, profundamente; más y más*

*profundamente, muy profundamente. Afloja, afloja. Sin tensión. Los pies y las piernas están cada vez más relajados. En un estado de profunda relajación».*

Al finalizar, el instructor siempre debe dar al practicante alguna palabra de estímulo, invitarle a respirar profundamente y a moverse muy lentamente antes de incorporarse.

***3.ª sesión***

Se invierte toda la sesión en la relajación de los pies y de las piernas, pero el instructor, tras ir señalando las zonas del cuerpo implicadas, observará silencios prolongados para que el practicante pueda profundizar en cada área. Se le invita a ello tras indicarle que habrá espacios de silencio y se le sugiere que los aproveche para concentrarse más en cada parte.

***4.ª sesión***

Texto para el instructor:

*«Estás avanzando muy rápidamente. Lo haces muy bien. Ya has aprendido a familiarizarte con los músculos, la tensión y la relajación. A partir de ahora, todo será más sencillo. Tú haces todo el trabajo. Yo sólo te oriento. Llegará el día en que logres relajarte profundamente, sin necesidad de escuchar mis*

*indicaciones. Entonces, habrás dominado el arte de la relajación, y esto supondrá un beneficio indudable en tu vida.*
*Vamos de nuevo a insistir en los pies y las piernas. Ahora, ya no tendrás ningún problema para relajarlos. Voy a guardar unos minutos de silencio, que tú aprovecharás para relajar los músculos tan profundamente como puedas».*

Y tras ese tiempo:

*«Te puedo asegurar con satisfacción que relajas perfectamente los músculos de los pies y de las piernas, por lo que podemos pasar a otras zonas. Deja los pies y las piernas tal y como están, y pon toda tu atención en el abdomen. Concéntrate y siéntelo. Si no puedes sentirlo, inspira aire profundamente y podrás percibirlo. Siente también el tórax y experimenta la tensión que pueda haber en él. Cuando la hayas descubierto, respira pausada y tranquilamente. Relaja ahora el abdomen, el estómago y el tórax. Las piernas están tranquilas, profundamente relajadas. Insiste en la relajación del estómago y el tórax. Todos los músculos del estómago y del tórax se aflojan, están muy sueltos, completamente flojos y relajados. Los músculos del estómago y del tórax se aflojan cada vez más, más y más profundamente, muy profundamente».*

***5.ª sesión***

El instructor insiste en la relajación del abdomen, el estómago y el tórax, y observa prolongados silencios para que el practicante pueda relajar esas partes del cuerpo.

***6.ª sesión***

Se sigue insistiendo en las mismas zonas, haciendo prolongados silencios y exhortando al practicante para que continúe avanzando hacia niveles más profundos de relajación.

***7.ª sesión***

Texto para el instructor:

> *«Hoy te ejercitarás en la relajación de los brazos y de los hombros. Sin embargo, empezaremos por relajar previamente las piernas, el abdomen, el estómago y el tórax. Como ya dominas la relajación de dichas zonas, suéltalas ahora tanto como puedas, más y más, profundamente. Siéntelas muy flojas, muy sueltas, muy relajadas. Flojas, sueltas y relajadas. Muy bien».*

A continuación, guarda silencio durante unos diez minutos para que el practicante insista en la relajación profunda. Después, continúa:

*«Perfecto. Ahora, tanto las piernas como el abdomen, el estómago y el tórax están muy relajados, profundamente relajados. Siente ahora los brazos y relájalos tanto como puedas. Los brazos se sueltan cada vez más, profundamente. Relaja también las manos. Siéntelas y relájalas cada vez más, dejando que los dedos queden ligeramente flexionados. Las manos están sueltas, muy sueltas, relajadas. Relaja los antebrazos. Siéntelos muy flojos, muy sueltos y muy relajados. Se relajan cada vez más. Afloja todos los músculos de los brazos. Tanto las manos como los brazos se relajan más y más, muy profundamente. Manos y brazos experimentan una profunda relajación. Dirige ahora tu atención a los hombros, siéntelos y aflójalos cada vez más; más y más profundamente. Los hombros son invadidos por una sensación de profunda relajación. De profunda relajación. Las manos, los brazos y los hombros se sueltan y se aflojan».*

### *8.ª sesión*

Se invierte toda la sesión en la relajación de brazos y hombros, pero el instructor se sirve ahora de un texto más breve y guarda períodos de silencio, exhortando al sujeto para que, durante éstos, siga insistiendo en dichas zonas.

*«Relaja las manos. (Cinco minutos de silencio.) Siente ahora los antebrazos y aflójalos tanto como puedas. Siéntelos cada vez más sueltos y relajados. (Cinco minutos de silencio.) Centra ahora tu atención en los brazos y relájalos. Siente los músculos de los brazos profundamente relajados. (Cinco minutos de silencio.) Los músculos de los hombros también se sueltan, cada vez más, profundamente. (Dos minutos de silencio.) Las piernas permanecen inertes, muy sueltas, muy relajadas... El abdomen está en un estado de profunda relajación... Todos los músculos del estómago y del tórax están muy sueltos y relajados, cada vez más y más relajados.»*

**9.ª sesión**

Texto para el instructor:

*«Dedicaremos la sesión de hoy a relajar los músculos de la espalda. Pero, antes, afloja tanto como puedas las zonas que ya has ejercitado en las sesiones anteriores. Afloja las piernas y ve haciendo lo mismo con el abdomen, el estómago, el tórax, los brazos y los hombros. (Diez minutos de silencio.) Dirige ahora tu atención a la espalda y siéntela para poder relajar toda su musculatura. Todos los músculos de la espalda se relajan cada vez más, profundamente. Más y más, profundamente».*

**10.ª sesión**

Texto para el instructor:

*«Hoy nos dedicaremos a hacer un repaso general. Creo que es lo más conveniente, pues, a partir de mañana, aprenderás a relajar el cuello y el rostro, olvidándote del resto del cuerpo.*

*»Empieza por relajar las piernas. (Cuatro minutos de silencio.) Ahora concéntrate en el abdomen y el estómago, y relájalos tanto como puedas. (Cuatro minutos de silencio.) Afloja los músculos del tórax y de la espalda. (Ocho minutos de silencio.) Ve relajando los brazos. Siéntelos flojos, están muy flojos y profundamente relajados. (Cuatro minutos de silencio.) Relaja los músculos de los hombros. (Cuatro minutos de silencio.) Todo el cuerpo, excepto la cabeza y el cuello, se ha sumido en un estado de profunda relajación, profunda relajación, profunda relajación». (Ocho minutos de silencio.)*

**11.ª sesión**

Texto para el instructor:

*«Pon atención en el cuello. Siéntelo y aflójalo tanto como puedas. Todos los músculos del cuello se aflojan, están muy flojos, completamente flojos y relajados, cada vez más relajados. Suelta la mandíbula, cada vez está más suelta y relajada».*

***12.ª sesión***

Se insiste en la relajación profunda del cuello y las mandíbulas. Se hacen pausas de silencio y se exhorta al practicante para que relaje más y más esas partes del cuerpo.

***13.ª sesión***

Texto para el instructor:

*«Ahora siente los labios. Concéntrate en los labios. Siéntelos y relájalos. Afloja los labios cada vez más; más y más, profundamente. Los labios se sueltan, están muy flojos y relajados. Enfoca ahora la atención en las mejillas y relájalas más y más, profundamente».*

***14.ª sesión***

Texto para el instructor:

*«Hoy vas a aprender a relajar los ojos y los párpados. Vamos a comenzar con los ojos. Es muy importante aprender a relajarlos bien. Siéntelos y aflójalos tanto como puedas. Afloja cada vez más todos los músculos de los ojos; más y más, profundamente.*

*»Ahora toma conciencia de los párpados. Mantenlos sueltos y relajados, cada vez más sueltos y relajados; más y más sueltos y relajados. Relaja cada vez más los ojos y los párpados.*

*Todos los músculos de los ojos y de los párpados se relajan más y más, profundamente, más y más, profundamente».*

### *15.ª sesión*

Al igual que en la anterior sesión, se procede a relajar al máximo los músculos de los ojos y de los párpados. El practicante debe concentrarse por entero en la relajación de dichas zonas.

### *16.ª sesión*

Texto para el instructor:

*«Ha llegado el momento de relajar la frente. Concéntrate en ella y aflójala tanto como puedas. Siente cómo los músculos de la frente se relajan más y más, profundamente. Los músculos de la frente se aflojan, están muy sueltos, completamente flojos y relajados; cada vez más relajados. Todos los músculos de la frente están sin tensión, sin rigidez.*

*»Ahora percibe la lengua. Siéntela floja y suelta. Tan floja y tan suelta como puedas. La lengua se va aflojando y relajando cada vez más.*

*»Tanto la frente como la lengua se aflojan más y más, profundamente. Se encuentran en un estado de profunda relajación, de profunda relajación».*

### *17.ª y 18.ª sesiones*

Se insiste en la relajación de todo el rostro y, de manera muy especial, de la lengua y de los ojos.

### *19.ª sesión*

Texto para el instructor:

*«Estamos llevando a cabo el método con precisión y éxito. Lo estás haciendo muy bien. La práctica constante posibilita la obtención de niveles de relajación muy profundos y beneficiosos. A partir de ahora, el adiestramiento te resultará más fácil y gratificante.*

*»Hoy vas a relajarte por completo. Dirige tu atención a los pies y las piernas, y siente todos los músculos flojos; muy flojos, completamente flojos y relajados, cada vez más relajados, más y más relajados. Ahora, siente el abdomen y el estómago, y relaja todos sus músculos. Los músculos del abdomen y del estómago se relajan cada vez más, más y más. Afloja los músculos de la espalda y del pecho. Están flojos, muy flojos y sueltos, cada vez más sueltos. Siente los brazos y los hombros. Sumérgelos en un estado de profunda relajación. Profunda relajación. Siente el cuello. Los músculos del cuello se aflojan, están muy flojos y relajados, cada vez más relajados. Las mandíbulas están flojas y sueltas; los labios, flácidos; las mejillas, blandas; los ojos y los párpados, profundamente relajados, al igual que la frente. La*

*lengua está floja, sin tensión. Todos los músculos del cuerpo se aflojan cada vez más, más y más, profundamente».*

***20.ª, 21.ª y 22.ª sesiones***

Se insiste en la relajación de todo el cuerpo. El instructor prolonga las pausas de silencio, invitando al practicante a que profundice más.

***23.ª sesión***

Texto para el instructor:

*«Insiste más en la relajación del cuerpo. Lo estás haciendo muy bien. Estás alcanzando niveles muy profundos y saludables de relajación. Observa cómo la respiración fluye pausada y uniformemente, sin necesidad de que tú intervengas. Cada día podrás relajarse más profundamente y en menor espacio de tiempo. A medida que lo hagas, también la mente se irá apaciguando. No luches directamente contra tus pensamientos. Son como nubes, que vienen y van sin importunarte».*

## Síntesis del programa

***1.ª sesión***

El instructor conecta con el practicante y le explica las prácticas que van a seguir juntos, así como el alcance, los efectos y los beneficios de éstas. Debe ganarse la confianza y la simpatía del practicante. Se empieza por familiarizarle con la relajación de las extremidades inferiores.

***2.ª sesión***

Se prosigue con la relajación de las extremidades inferiores.

***3.ª sesión***

Se insiste en la relajación de pies y piernas. El instructor hace pausas de silencio cada vez más prolongadas, empleando menos palabras, pero invitando siempre al practicante a que siga relajándose con toda atención e interés.

***4.ª sesión***

Se relajan los músculos del abdomen, el estómago y el tórax.

***5.ª sesión***

Se insiste en la relajación del abdomen, el estómago y el tórax.

***6.ª sesión***

Se repite la sesión anterior.

***7.ª sesión***

Se empieza por relajar piernas, abdomen, estómago y tórax, para después seguir con brazos y hombros.

***8.ª sesión***

Se insiste en la relajación de hombros y brazos.

***9.ª sesión***

Se relajan los músculos de la espalda.

***10.ª sesión***

Se relaja el cuerpo en general, excepto el cuello y la cabeza.

***11.ª sesión***

Se relajan el cuello y la mandíbula.

***12.ª sesión***

Se insiste en la relajación del cuello y la mandíbula.

***13.ª sesión***

Labios y mejillas.

***14.ª sesión***

Ojos y párpados.

***15.ª sesión***

Se profundiza en la relajación de ojos y párpados.

***16.ª sesión***

Frente y lengua.

***17.ª sesión***

Se relaja el rostro en general.

***18.ª sesión***

Se insiste en la relajación del rostro.

***19.ª sesión***

Se insiste en la relajación de todo el cuerpo.

***20.ª, 21.ª y 22.ª sesiones***

Se profundiza en la relajación de todo el cuerpo y el instructor observa cada vez silencios más prolongados.

***23.ª sesión***

Se anima al practicante a que no deje de relajarse asiduamente y se le proporcionan instrucciones para que no se identifique con los pensamientos y se mantenga en un estado de profunda calma mental.

## Resumen del método

— Pies y piernas: tres sesiones.
— Abdomen, estómago y tórax: tres sesiones.
— Brazos y hombros: dos sesiones.
— Espalda: una sesión.
— Repaso general del cuerpo: una sesión.
— Cuello y mandíbulas: dos sesiones.
— Labios y mejillas: una sesión.
— Ojos y párpados: dos sesiones.
— Frente y lengua: una sesión.
— Repaso general del rostro: dos sesiones.
— Relajación completa: cuatro sesiones.

# 5

# Métodos de autorrelajación

## Método de autorrelajación en treinta sesiones

Se trata de un método muy completo que permite alcanzar unos estados de profunda relajación. Cada sesión debe durar veinte minutos. Puede practicarse todos los días, o en días alternos. Es un curso de autoaprendizaje de diez horas que permite conquistar una rápida y profunda respuesta de relajación, la cual podrá practicarse después en cualquier situación.

### *1.ª sesión*

En posición de decúbito supino, se dirige la atención a los pies, se sienten y se trata de relajarlos tanto como sea posible. Si ésto se hace bien, caerán respectivamente hacia uno y otro lado. Es mejor tener las piernas y los pies ligeramente separados. Toda la sesión se dedica a la relajación de ambos pies.

*2.ª sesión*

Se insistirá en la relajación de los pies.

*3.ª sesión*

Parte de esta sesión se invierte también en la relajación de los pies. Después, se trabaja en la de los músculos de las piernas.

*4.ª sesión*

Se insiste en la relajación de los músculos de los pies y de las piernas.

*5.ª sesión*

Se repite la sesión anterior.

*6.ª sesión*

Durante los primeros cinco minutos, se vuelven a relajar en profundidad los músculos de los pies y de las piernas. Después, se dirige la atención al abdomen, se localiza la tensión que pueda haber en él y se relajan sus músculos. Si es necesario, el practicante podrá apoyarse mentalmente en la espiración.

*7.ª sesión*

Se insiste en la relajación de la musculatura abdominal.

***8.ª sesión***

Se dirige la atención al tórax y se localiza la tensión que pueda haber para, a continuación, proceder a la relajación de todos los músculos. De ser necesario, se respira en profundidad para aprovechar la espiración y relajar más la musculatura.

***9.ª sesión***

Se insiste en la zona del tórax.

***10.ª sesión***

Se centra la atención en la espalda y se relajan los músculos de dicha zona. Asimismo, se invierte parte del tiempo en relajar la musculatura de los hombros.

***11.ª sesión***

Toda la sesión está dedicada a la relajación de espalda y hombros.

***12.ª sesión***

Se lleva la atención a los brazos y las manos para tomar conciencia de ellos y tratar de aflojarlos tanto como sea posible. Se insiste en la relajación de estas zonas.

***13.ª sesión***

Se dedica a manos y brazos.

*14.ª sesión*

Se pone especial atención en seguir profundizando en la relajación de los pies, las piernas y los brazos.

*15.ª sesión*

Se relaja en profundidad todo el cuerpo, a excepción del cuello y la cabeza. Se aflojan todos los músculos de las piernas, el tronco y los brazos.

*16.ª sesión*

Después de haber invertido algunos minutos en relajar las extremidades inferiores y superiores y el tronco, se lleva la atención al cuello, se siente su musculatura y se relaja.

*17.ª sesión*

Se dedica toda la sesión al cuello.

*18.ª sesión*

Se hace un repaso de todo el cuerpo, excepto de la cabeza. Se perciben progresivamente las distintas partes del cuerpo y se relajan tanto como sea posible.

*19.ª sesión*

Se toma conciencia de la mandíbula y se afloja, después de haber relajado el cuerpo en profundidad.

*20.ª sesión*

Se relaja el cuerpo. Posteriormente, se toma conciencia de las mandíbulas y se relajan. Luego, se insiste en labios y mejillas.

*21.ª sesión*

Tras relajar profundamente el cuerpo, la mandíbula, los labios y las mejillas, se toma conciencia de la frente y se afloja tanto como se pueda.

*22.ª sesión*

Se invierten varios minutos en aflojar todas las zonas con las que se ha trabajado en anteriores sesiones. Después, se lleva la atención a los párpados y se relajan.

*23.ª sesión*

Se tratará de relajar los ojos profundamente. Antes, se sienten progresivamente las distintas partes del cuerpo y se relajan en profundidad. Se insiste en la relajación de los ojos.

*24.ª sesión*

Tras relajar progresivamente todo el cuerpo, se persiste en la relajación de los ojos.

*25.ª sesión*

Se insiste en la relajación de los ojos.

***26.ª sesión***

Se afloja todo el cuerpo y luego se toma conciencia de la lengua para intentar aflojarla tanto como sea posible.

***27.ª sesión***

Se relaja profundamente todo el cuerpo y se insiste en la relajación de la lengua.

***28.ª sesión***

Se repite la sesión anterior.

***29.ª sesión***

Se relaja progresivamente todo el cuerpo, de los pies a la cabeza. Se establece un estado de calma y quietud.

***30.ª sesión***

Se insiste en la relajación de todo el cuerpo y en cultivar la quietud mental y emocional.

## Método de relajación contando y método de relajación basado en una palabra

Cuando ya se ha practicado la respiración profunda, se puede utilizar un método de relajación que consiste en contar del uno al diez.

Se trata de una breve técnica de relajación que produce excelentes resultados.

Facilito un texto en primera persona para que uno mismo pueda aplicarse la técnica.

Acostado sobre la espalda o sentado en un sillón, se cierran los ojos, se ralentiza la respiración por la nariz y se desconecta de todo para enfocar la atención en el cuerpo. A medida que se cuenta y se dice el texto, se intenta relajarse todo lo que sea posible.

> *«Estoy muy tranquilo. Durante unos minutos, voy a estar serenamente conmigo mismo, en una reparadora relajación del cuerpo y una perfecta calma mental. Voy a contar de uno a diez y a concentrarme sucesivamente en las distintas partes del cuerpo. Al llegar a diez, estaré muy relajado, profundamente relajado. Voy a comenzar. Uno: mis pies y mis piernas se relajan profundamente, más y más profundamente. Los músculos de mis pies y de mis piernas se aflojan; están muy flojos y sueltos, cada vez más sueltos. Dos: también los músculos del estómago y del pecho se aflojan, se aflojan más y más. Tres: las manos y los brazos están sueltos, muy sueltos, completamente sueltos y relajados; cada vez más y más relajados. Cuatro: se relajan todos los músculos de la espalda y de los hombros. Todos los músculos de la espalda y de los hombros se sumergen en un estado de profunda relajación. Cinco: los músculos de los pies, las piernas, los brazos, los hombros, el estómago y la espalda están flojos, completamente flojos y*

*relajados, cada vez más relajados, sumidos en un estado de profunda relajación. Seis: siento cómo los músculos del cuello se aflojan y se sueltan, sin tensión, sin rigidez. Siete: la mandíbula está ligeramente caída, floja, suelta y relajada. Ocho: los labios, las mejillas y los ojos están en un estado de profunda relajación. Nueve: la frente y el entrecejo están lisos, sin tensión. Diez: todo el cuerpo está flojo, muy flojo y relajado. Todo el cuerpo se sumerge en una sensación de profunda relajación, bienestar, tranquilidad y descanso; profunda relajación, bienestar, tranquilidad y descanso; bienestar, tranquilidad y descanso.»*

El siguiente método es también breve. Para llevarlo a cabo, el practicante (si se trata de autorrelajación) o el instructor deben recurrir a una palabra que denote relajación. Puede ser el propio vocablo «relajación» o bien «soltar», «aflojar» o «relax».

A continuación, propongo un texto en el que se indican sucesivamente las distintas partes del cuerpo y se repite lentamente la palabra seleccionada, que debe ser siempre la misma a lo largo de toda la experiencia. He elegido el vocablo «soltar» para el texto:

*«Pie derecho: soltar, soltar; pie izquierdo: soltar, soltar; pierna derecha: soltar, soltar; pierna izquierda: soltar, soltar; vientre: soltar, soltar; estómago: soltar, soltar; mano derecha: soltar, soltar; mano izquierda:*

*soltar, soltar; brazo derecho: soltar, soltar; brazo izquierdo: soltar, soltar; espalda: soltar, soltar; hombros: soltar, soltar; cuello: soltar, soltar; mandíbula: soltar, soltar; labios: soltar, soltar; mejillas: soltar, soltar; ojos: soltar, soltar; frente: soltar, soltar; todo el cuerpo: soltar, soltar, soltar, soltar»*.

Insisto en que, cualquiera que sea el método que se emplee en la relajación, todo el secreto reside en sentir y soltar

## Métodos de relajación basados en la visualización

Se puede utilizar una visualización o una representación mental detallada para lograr la relajación del cuerpo y el sosiego de la mente. Propongo las que, tras tres décadas de experiencia, me parecen más eficientes, lo que no quiere decir que no se pueda recurrir a otras.

### *1. Relajación-visualización del punto de luz*

Después de haber inmovilizado el cuerpo, ya sea tumbado sobre la espalda o sentado en un sillón, el practicante afloja todo el cuerpo, ralentiza la respiración e imagina un punto, del tamaño de una píldora, de una agradable luz dorada que destella sobre la parte superior de su cabeza. Lentamente, el practicante imagina cómo el punto se desliza por las distintas partes del cuerpo disolviendo la tensión. Se desplaza, de forma pausada, por las diferentes zonas de la cara, por el cuello, hombro derecho, brazo derecho, mano derecha, dedos, hombro izquierdo, brazo izquierdo, mano izquierda, dedos, espalda, pecho, estómago, vientre, nalgas, pierna derecha, pie derecho, dedos, pierna izquierda, pie izquierdo y dedos.

A medida que la luz se desliza, sentirá que se sumerge en un estado de profunda relajación.

### *2. Relajación-visualización del guijarro*

Se visualiza un guijarro sumergiéndose lentamente en las claras y transparentes aguas de un lago. Muy lentamente; muy lenta y apaciblemente. El guijarro se queda sobre la arena blanca y mullida. El silencio es perfecto, total y reconfortante.

El practicante debe identificarse con la visualización y propiciar un sentimiento de caída y aflojamiento.

### *3. Relajación-visualización coloreando la respiración*

Después de adoptar la postura elegida y relajar el cuerpo, se enfoca la mente sobre la respiración y se tiñe el aire de un color que resulte apaciguante para el practicante. Cada uno puede seleccionar su color preferido. Un color sumamente relajante es el verde. El ejercicio consiste en visualizar el aire que se inspira y espira, teñido del color seleccionado, sintiendo que éste nos relaja cada vez más.

***4. Relajación-visualización de la ola***

Una vez adoptada la postura elegida y aflojado el cuerpo, el practicante visualiza una ola de paz y relajación que se desliza muy lentamente por todo su cuerpo, de la cabeza a los pies y de los pies a la cabeza, una y otra vez, relajando en profundidad cada zona por la que pasa, como una fuente de energía que proporciona máxima quietud, que elimina bloqueos, tensiones y crispaciones, y afloja cada vez más toda la musculatura.

Hay personas que prefieren efectuar este ejercicio imaginando, en lugar de una ola, una onda de energía que las tranquiliza y relaja a medida que les acaricia las distintas zonas del cuerpo.

## Método de relajación de Benson

Herbert Benson es un fisiólogo americano dedicado a la investigación de los efectos fisiológicos, psicológicos y espirituales de la relajación y de la meditación. En la India, investigó a los lamas meditadores para comprobar hasta qué punto subía la temperatura de sus cuerpos cuando éstos practicaban una técnica energético-meditativa llamada *tummo* (el yoga del calor psíquico).

Benson comprobó que lo que él llamó «respuesta de relajación», era un medio idóneo para prevenir o combatir el estrés, sedar el sistema nervioso, tranquilizar la mente y favorecer las funciones metabólicas.

Para lograr esa respuesta de relajación, es importante observar varios requisitos previos: un ambiente apacible, una postura cómoda y relajada, y la mente concentrada. Todo ello asociado a una actitud de sosiego y calma profunda.

La sesión dura de diez a veinte minutos. El practicante se sienta lo más cómodamente posible. Cierra con suavidad los ojos y comienza a relajar el cuerpo, desplazando la atención de los pies a la cabeza. Deberá permanecer inmóvil y sosegado. El practicante, pues, se relajará profundamente.

Una vez relajados todos los músculos, se fija la mente en la respiración, que debe ser natural y espontánea, no controlada. Benson ha elegido una palabra muy breve para asociarla a la espiración, como soporte para la concentración más pura y simple. Es un vocablo muy musical en inglés, aunque no sucede lo mismo en castellano. Se trata de la palabra uno, es decir, «*one*», que en inglés suena «uan». Cada vez que exhala, el practicante dirá mentalmente «uan», evitando cualquier distracción y concentrando más y más la mente, pero sin perder la imprescindible actitud de sosiego. Se procede así durante varios minutos, con los ojos cerrados, y se completa la práctica durante algunos minutos más con los ojos abiertos.

Es conveniente ejecutar una o dos sesiones diarias. Así se obtendrá la respuesta de relajación, la cual ralentizará la actividad metabólica, la frecuencia cardíaca y el ritmo de las ondas cerebrales, y bajará el nivel de lactosa en la sangre. Es un método que proporciona salud física y mental, tranquiliza emocionalmente y sosiega el ánimo.

El practicante puede buscar, en su propio idioma, una palabra corta y musical. Se puede servir del vocablo *Om*, que es excepcionalmente armónico, aunque sea desposeyéndolo de sus características espirituales.

## La técnica de Mitchell

Para entender la dinámica del método que ahora abordo, tenemos que considerar que cada vez que se produce un estiramiento en un grupo de músculos, el grupo opuesto tiende a relajarse, debido a un mecanismo que se denomina «inhibición recíproca». Mitchell se sirve de una técnica que trabaja las distintas partes del cuerpo para aliviar las tensiones neuromusculares y superar el estrés y la ansiedad. El instructor debe poner un ejemplo práctico al sujeto. Le puede explicar, por ejemplo, cómo al flexionar la muñeca hacia delante, los músculos necesarios para doblarla hacia atrás se relajan. Así es cómo actúa el método de Mitchell: provocando movimientos que inducen a la relajación de grupos musculares. Durante la práctica, se solicita al practicante que tome conciencia de la relajación que se consigue en cada zona.

## LA TÉCNICA

Se puede ejecutar sentado o acostado sobre la espalda. El instructor dará las pautas de una forma clara y sucinta en cada fase. La respiración debe ser pausada y lenta. Ofrecemos el programa completo, pero también se puede desarrollar una sola parte, según se quiera aplicar en unas u otras zonas.

***Tirar de hombros***

El instructor dice: «Tira de los hombros hacia los pies, sin forzar, pero hasta que no puedas alejarlos más del cuello». Después, indica «Deja de hacerlo» o «Basta», e invita a experimentar con mucha atención la sensación que se produce a continuación.

***Codos hacia fuera***

Las manos estarán apoyadas en la cara anterior de los muslos. El instructor pide al practicante que lleve los codos hacia fuera tanto como pueda, abriendo y arqueando los brazos, pero sin despegar las manos de los muslos. Después dice: «Basta. Ahora siente tus brazos descansando».

***Dedos***

Se pide al practicante que extienda y separe los dedos tanto como pueda, experimentando la tirantez en las palmas. Después de unos instantes, el instructor dice

«Alto», e invita al practicante a relajar la mano y a soltar los dedos con suavidad hasta que queden ligeramente encorvados hacia delante. Finalmente, el instructor le exhorta a experimentar a fondo la sensación que se produce.

***Caderas***

Se insta al practicante a que «vuelva las caderas hacia fuera», es decir, a que las balancee un poco. Luego, cuando el instructor diga «Alto», deberá volver a su posición de inmovilidad, para comprobar el sosiego que se produce.

***Rodillas***

El practicante deberá mover un poco las rodillas para conseguir una posición cómoda. Cuando el instructor señale que es el momento de parar, el practicante deberá percibir la calma que se produce.

***Pies y tobillos***

El instructor indica al practicante que estire los pies, como en la posición de bailar de puntillas en *ballet*. Instantes después, el instructor le dice que pare y que observe la sensación obtenida.

***Respiración***

El instructor invita al practicante a que respire con sosiego, pero tomando conciencia durante unos segundos de cómo al inhalar dilata y abre las costillas, así como de la sensación que le produce exhalar.

### *Torso*

El practicante presiona el tronco contra la superficie sobre la que se apoya y, cuando el instructor diga «Alto», deberá experimentar la sensación desencadenada.

### *Cabeza*

El practicante presiona la cabeza contra la superficie sobre la que se apoya. Cuando el instructor diga «Basta», observará la sensación resultante.

### *Mandíbula*

Cuando lo indique el preparador, el practicante desplazará la mandíbula hacia abajo, distanciando los dientes inferiores de los superiores. Cuando el instructor diga «Basta», deberá dejarla en la posición obtenida y prestar atención a la sensación.

### *Lengua*

Se presiona la lengua contra la parte inferior de la boca, se para y se percibe la sensación que haya en la garganta.

### *Ojos*

Se mantienen los párpados suavemente cerrados y los ojos apaciblemente fundidos con la oscuridad del campo visual interno.

### *Frente*

El instructor pedirá al practicante que experimente una sensación de tranquilidad, que se propaga desde las cejas, ascendiendo por la frente y recorriendo el cuero cabelludo, y que finalmente baja por detrás del cuello.

### *Mente*

El instructor invita al practicante a que piense en una acción agradable sobre la que focalizar su mente, como pasear por el bosque, escuchar una melodía placentera o recordar un poema.

Después de la práctica, el instructor le pide que desperece el cuerpo y regrese a su estado habitual.

El método de Mitchell se ha mostrado eficaz para prevenir o combatir el estrés, aliviar dolores reumáticos, evitar tensiones articulares y familiarizarse con la dinámica de los grupos musculares.

## Relajación con captación y exploración de tensiones

Ésta es una técnica de rastreo del cuerpo, cuyo propósito es detectar focos de tensión y disolverlos en cualquier circunstancia. Aunque cada persona tiene unas determinadas zonas más propensas a acumular tensión, se puede decir que la mayoría lo hace en la frente y el entrecejo, los globos oculares, el maxilar inferior, la nuca, el cuello, los hombros, la espalda y la boca del estómago.

El método que ofrezco, con el que hemos trabajado durante muchos años con nuestros alumnos, es de excepcional eficacia para:

— Relacionarse con el cuerpo.
— Familiarizarse con los focos de tensión.
— Experimentar las zonas tensas del cuerpo y relajarlas.
— Desarrollar metódicamente la atención.

En una sesión no es necesario trabajar con muchas zonas, sino únicamente con dos o tres. Es importante no pasar de una zona a otra sin haber finalizado completamente con la primera. La duración será de diez a quince minutos. Se realiza sentado sobre una silla o sobre el suelo en un cojín, bien erguido y sin moverse. La cabeza y el tronco deben estar erguidos y las manos deberán descansar apaciblemente sobre los muslos. La respiración ha de ser lenta y pausada. Los ojos se cierran suavemente. Durante un par de minutos, se relaja el cuerpo. Después, el practicante escoge una zona de su organismo que sea propensa a la acumulación de tensión. Entonces, se procede del siguiente modo:

— Abstrayéndose del resto del cuerpo, se fija la atención en la zona seleccionada.
— Se profundiza en la zona, sin detenerse en la superficie, adentrándose en la zona elegida y sin pensar, pues se trabaja únicamente con el sentir.
— Tras adentrarse unos minutos en la zona y sentirla, se suelta.
— Si queda tiempo, se pasa a otra parte del cuerpo, pero nunca se debe dejar de profundizar en una zona por querer abarcar otras.

Naturalmente, si la persona alarga la sesión (que puede extenderse hasta una hora), dispondrá de más tiempo para trabajar con más zonas del cuerpo. El secreto reside en:

— Fijar la atención.
— Sentir.
— Adentrarse.
— Soltar.

Una vez aprendida la técnica, podrá ponerse en práctica en cualquier situación. Con ella, se adquirirá gran pericia para detectar los focos de tensión, sentirlos, adentrarse en ellos y aflojarlos. Esta técnica resulta útil para personas de todas las edades.

Hay que remarcar que este sencillo método produce excelentes resultados no sólo en lo que a relajación se refiere, sino también para aliviar angustias y aumentar la capacidad de concentración:

Sentado o acostado, una vez que el cuerpo se ha relajado, se fija la atención en las palmas de las manos, cara interna de los dedos y yemas. Se trata, con mucha atención y evitando que se desvíe la mente, de percibir las sensaciones que se presenten en las palmas, pero no de imaginarlas. Tampoco se deben interpretar o analizar. Hay que sentir con mucha atención, pero sin reacción, es decir, de un modo impasible. Pueden aparecer, entre otras manifestaciones, calor, tibieza, humedad, hormigueo, pesadez y cosquilleo. Se realiza el ejercicio durante varios minutos. También se puede hacer con las plantas de los pies o con ambas extremidades.

# 6

# Técnicas para relajar y sosegar la mente y las emociones

El hecho de aprender a relajar el cuerpo conduce, sin duda, a la relajación de la mente y la traquilización de las emociones, pero hay además técnicas muy valiosas para incidir en mayor grado en el sosiego de la mente y del sistema emocional. Facilitamos algunas de estas técnicas, que pueden aplicarse tras haber relajado el cuerpo profundamente y que no sólo te relajarán aún más, sino que te ayudarán a aquietar la mente, a sentirte mejor, a superar cualquier tipo de agitación mental y emocional, y a lograr un estado de gran placidez y plenitud. Contribuyen a la concentración mental, la intensificación de la atención, la suspensión de los automatismos mentales y propician los estados emocionales positivos.

No es necesario ejecutar todas estas técnicas en una sola sesión, sino seleccionar un par de ellas y ponerlas en práctica.

A continuación, vamos a describir técnicas de atención a la respiración y técnicas de visualización, así como algunas de concentración pura, o dominio mental, encaminadas a silenciar y apaciguar la mente.

## A) Técnicas de atención a la respiración

Salvo que se indique lo contrario, en todas ellas hay que respirar con toda naturalidad, de modo regular y preferiblemente por la nariz. Se puede aplicar la técnica seleccionada durante cinco o diez minutos, manteniendo la atención. Si te percatas de que la mente se ha distraído, deberás llevarla de vuelta al ejercicio.

***1) Atención al movimiento de la respiración:***

Conviértete en un observador, muy atento y sosegado, del movimiento de la respiración. Contempla, con una atención imperturbable, el flujo y reflujo de la respiración, su proceso de inhalación y espiración, evitando pensamientos, ideas, reflexiones o divagaciones mentales. Mantente en tu puesto de observador atento y sereno, mirando cómo el aire viene y cómo parte.

***2) Atención a la sensación táctil del aire:***

Fija la atención en las aletas de la nariz, en la entrada de los orificios nasales. No pienses, ni reflexiones; no analices, ni divagues. Trata de captar el roce o el choque del aire en la nariz o, como ocurre a veces, en la parte alta del labio superior. Cuando percibas esa sensación táctil producida por la entrada y salida del aire, concéntrate tanto como puedas en ella. Ve profundizando cada vez más en la percepción del roce del aire, allí donde éste se produzca. En el supuesto de que, al principio, no puedas sentir esa sensación, permanece muy atento, vigilando la entrada y salida del aire, pero mantén siempre tu atención en las aletas de la nariz.

***3) La atención al movimiento del vientre:***

Haz respiraciones abdominales; es decir, al inhalar, lleva el aire hacia el vientre y el estómago. Mantén tu atención en la zona abdominal y siente el movimiento del vientre que asciende y desciende con la respiración. Con la mente serena y atenta, ve concentrándote cada vez más en el movimiento del abdomen.

***4) La atención a la espiración como soporte para ir aflojando cada vez más:***

En este ejercicio, deberás tratar de ralentizar la exhalación. Intenta que la espiración sea más lenta y más larga, pues eso creará una sensación de fluidez, que es el objetivo de esta práctica. Desconecta la mente de todo y enfócala en la respiración. Toma el aire prestando mucha atención y, cada vez que espires, siente cómo tu cuerpo se afloja cada vez más, se deja ir y entra en un estado de plácido abandono, silencio interior y quietud.

***5) Mentalización de sosiego a través de la respiración:***

En este ejercicio, haz las inspiraciones y espiraciones un poquito más lentas y largas, pues eso te será de gran ayuda. Concéntrate en la respiración, retirando la mente de todo lo demás. Asocia la inhalación a la sensación de inspirar sosiego y la exhalación a la de liberarse de cualquier estado o sensación de desasosiego o inquietud. Así, al inhalar, piensa que inhalas paz y, al exhalar, piensa que expulsas cualquier sensación de intranquilidad. De este modo, ve poco a poco conectando con la sensación de quietud.

***6) Mentalización de quietud a través de la respiración coloreada de verde:***

Al inhalar y al exhalar, piensa que el aire es como un fluido verde. Pero, cuando espires, piensa que ese fluido se extiende por todo tu cuerpo, impregnándolo. Piensa que ese fluido de color verde da lugar a equilibrio, armonía y quietud, y que tu mente, tu cuerpo y tus emociones, se armonizan y tranquilizan.

## B) Técnicas de visualización

El poder de la imagen es inestimable a la hora de evocar ciertos estados mentales y emocionales. No sentimos lo mismo al recordar a una persona que nos agrada que a una que nos desagrada, ni es lo mismo visualizar un jardín que un erial. Partiendo de esa realidad, los antiguos yoguis fueron los primeros en concebir y ensayar los ejercicios de visualización, con el propósito de plantar simientes constructivas en el inconsciente y tintar positivamente los estados mentales y emocionales. Hay muchos tipos de visualizaciones, pero todos ellos tienen en común un carácter transformativo y de apoyo psíquico. Puedes seleccionar, tras haberte relajado profundamente, uno de estos ejercicios y aplicarlo durante diez minutos.

***1) Visualización de infinitud y plenitud:***

Visualiza la bóveda celeste. Permite que todo tu ser se vaya fundiendo con el firmamento claro, despejado y sin límites, del mismo modo que un terrón de azúcar se disuelve en el agua. Implica no sólo a tu mente sino también a las emociones y recréate en un sentimiento de infinitud, inmensidad y totalidad.

***2) Visualización de expansión mediante la luz dorada:***

Ahora, trabajarás con una luz dorada, como la de un atardecer. Esa luz tiene una naturaleza de plenitud y sosiego. El ejercicio consiste en imaginar que, de tu corazón, parte un punto de placentera y sosegadora luz dorada. Este punto comienza a irradiar en todas las direcciones, hasta formar un ilimitado océano de apacible luz dorada, del que tú, finalmente, formarás parte con un sentimiento de plenitud y sosiego.

***3) Visualización de los pensamientos como nubes:***

Permanece profundamente relajado. Si vienen a tu mente pensamientos o ideas, o si irrumpe cualquier material inconsciente, contempla todo ello como si fueran nubes que vienen y van, pero que no pueden sacarte de tu estado de placentera relajación profunda. Del mismo modo que las nubes no arrastran al cielo tras de sí, esas nubes-pensamiento vienen y van, pero tú permaneces muy tranquilo en tu estado de quietud.

***4) Visualización de las aguas de un lago:***

Visualiza las apacibles, serenas y traslúcidas aguas de un lago e inspírate en ellas para apaciguar la mente y el espíritu. También puedes visualizarte a ti mismo tranquilamente tumbado y relajado sobre la arena blanca del lago, en un estado de reconfortante silencio.

## C) Técnicas de concentración

Estás técnicas tienen como objetivo centrar la mente. Son ejercicios orientados a fijar la mente en un soporte, con absoluta exclusión de todo lo demás. En ellos, se trata de centrar la mente, cada vez más, en el objeto de concentración, evitando así las divagaciones, distracciones, agitación y tensión.

***1) Concentración en el entrecejo:***

Fija la mente en el espacio entre las cejas. Cada vez que sientas que tu mente divaga, llévala de nuevo al entrecejo.

***2) Concentración en las sensaciones de las palmas de las manos:***

Concéntrate en las palmas de las manos, la cara interna de los dedos y las yemas. Permanece muy atento a las sensaciones que se vayan presentando. No analices, ni reflexiones. Tan sólo permanece atento y perceptivo. No se trata de imaginar o fantasear, sino de sentir o no sentir. Se pueden presentar sensaciones de hormigueo, cosquilleo, humedad, calor, etc. Siéntelas. Ésta es una técnica magnífica para mantener la mente silenciosa y apaciguar el sistema nervioso.

***3) Concentración en un fondo negro:***

Este ejercicio también se denomina la noche mental y es un extraordinario complemento a la relajación profunda del cuerpo, pues no sólo ayuda a inhibir la cháchara mental, sino también a crear un estado de reconfortante sosiego y descanso mental. Trata de ir oscureciendo, tanto como puedas, el campo visual interno. Para ello, puedes servirte de una imagen, como un velo negro, una pizarra o el firmamento totalmente oscuro.

***4) Concentración en la transparencia:***

Este ejercicio aligera y esclarece la mente. Es similar al anterior, pero, en este caso, nos concentraremos en algo transparente. Puedes servirte de una imagen apropiada para este fin, como una plancha de cristal, una barra de hielo o el horizonte claro y despejado.

***5) Concentración en una esfera de luz:***

Concentra la mente en una esfera de luz blanca y refulgente, del tamaño de una nuez. Imagínala frente a ti, a la altura del entrecejo, y trata de centrar tu mente en esa esfera, abstrayéndote de todo lo demás. Ve centrándote cada vez más en la esfera.

# Índice